우리말 둘레길

우리말 둘레길

발　행 | 2024년 1월 26일
저　자 | 양산호
펴낸이 | 한건희
펴낸곳 | 주식회사 부크크
출판사등록 | 2014.07.15.(제2014-16호)
주　소 | 서울특별시 금천구 가산디지털1로 119 SK트윈타워 A동 305호
전　화 | 1670-8316
이메일 | info@bookk.co.kr

ISBN | 979-11-410-6911-7

우리말 둘레길

양산호 지음

차 례

권오운 선생님께 이 책을 바칩니다.

일이란 언제나 순식간에 일어난다. 마치 내가 그곳을 지나기를 기다렸던 것처럼 내게 덜컥 일을 맡겨 버린다.

"양 선생! 양 선생님이 이 코너를 맡아 줘요."

유영호 시인의 말에 언어, 그중에서도 우리말을 사랑하는 나는 글쎄요, 하면서도 신문에 글을 쓴다는 기쁨에 긍정의 표시를 하자, 곧장 양산시민신문 발행인인 김명관 대표에게 데려간다.

"아, 소설을 쓰시죠? 기대가 됩니다."

이렇게 해서 우리말 코너가 시작되었다. 우리말 둘레길이라는 제목을 짓고, A4용지 한 장 분량에 쓸 글을 생각해 보았다. 일단 들어가는 문을 가볍게 열고 들어간다. 당시 이목을 끄는 사건이나 시, 소설로 이야기를 끄집어낸다. 다른 신문에서 소개하는 것처럼 우리말을 알리는 글을 쓰면 읽는 것이 고통스러워진다. 그냥 지나치기 쉽다.

우리말에 대해 쓴 책을 여러 권 구입해 읽다가 어느 순간 권오운 선생님의 책에 마음을 빼앗긴다. 실제 우리가 잘못 쓰는 말을 제대로 지적해 놓았다. 우리말 소반다듬이를 비롯해 작가들이 결딴낸 우리말 등 쓰기 힘들고 어려운 책을 내

놓으셨다.

이 책을 쉬지 않고 읽었다. 산책 중 의자에 앉거나 병원 가는 길에도 읽었다. 우리 말에 대한 책이지만 쉽게 읽어지지 않았다. 매일 한 페이지 두 페이지를 읽었다.

다시 말하지만, 권오운 선생님의 책이 아니었다면 아마 우리말 둘레길은 재미없고 읽기 힘든 책이 되었을 것이다. 가족이나 사람을 가리키는 말, 옷에 대한 말 등의 제목은 그대로 가져와서 선별적으로 골라 썼다.

두런두런 궁시렁 궁시렁 코너는 책 중간에서 하나씩 고른 낱말을 재미있게 각색해서 썼다.

몇 년 동안 양산시민신문에 쓴 글을 책으로 내게 되어 반가운 마음이 든다.

한 번 더 권오운 선생님께 감사를 드립니다.
마지막으로 글이 나오게 된 출판사 분들께도 감사드립니다.

2024년 1월 어느 날
천성산 아래 백동에서
양산호

1. 가족이나 사람을 가리키는 말

정하선 시인이 카카오스토리에 올린 시를 읽다가 가슴이 찡해진다. 장작을 패는 이야기다. 밤나무 모탕 위에 올려진 참나무. 이 모탕은 도끼날이 다치지 않게 감싸주느라 하루하루 가슴이 움푹 패인다. 그럼에도 자신의 할 일을 소리 없이 하고 있다. 그때 옆집 젊은 아들이 아버지에게 대드는 말도 들려준다. 아버지가 해준 게 뭐가 있어요? 그리고 빈 집처럼 조용하다. 모탕이란 단단할 필요가 없는 거지. 부드럽게 감싸주면 그만. 모탕엔 밤나무가 제격이지. 모탕이 무슨 말일까? 아래에 보니 모탕은 나무를 패거나 자를 때에 받쳐 놓는 나무토막이라고 자세한 설명을 곁들여 놓았다.

시를 읽고 나서 말이란 어떤 것일까 생각해 본다. 새로 들어온 말은 신선하고 근사하겠지만, 조상들이 오랫동안 써서 때가 묻고 냄새나는 말에는 정겨움과 영혼이 배어 있지 않을까?

이번에는 **가족이나 사람을 가리키는 말**을 찾아보았다.

◆ 가납사니
① 쓸데없는 말을 지껄이기 좋아하는 수다스러운 사람

② 말다툼을 잘하는 사람

◆ 가르친 사위: 창조성이 없이 무엇이든지 남이 가르친 대로만 하는 사람을 낮잡아 이르는 말

◆ 갈개꾼: 남의 일에 훼방을 놓는 사람

◆ 뻘때추니: 어려워함이 없이 제멋대로 짤짤거리며 쏘다니는 계집아이

◆ 오맞이꾼: 집안 살림을 돌보기보다는 나들이에 여념 없는 여자를 놀림조로 이르는 말

◆ 거위영장: 여위고 키가 크며 목이 긴 사람을 놀림조로 이르는 말

◆ 뚝별씨: 걸핏하면 불뚝불뚝 성을 잘 내는 사람

두런두런 궁시렁궁시렁

1) 따 논 당상이 아니라 따 놓은 당상이라네요! 일이 확실하여 조금도 틀림이 없음을 이르는 말이 '따 놓은 당상' 또는 떼어 놓은 당상'이라고 하네요.

2) 옥수수가 들어선 것을 본 적이 있지요? 옥수수나무가 아니라 옥수숫대라고 하네요! 옥수수의 줄기가 옥수숫대입니다. 도종환 시인의 <접시꽃 당신>이라는 시에도 나오지요. 옥수수 잎을 때리는 빗소리가 굵어집니다. 수수도 마찬

가지입니다. 수수나무가 아니라 수숫대입니다. 이것으로 수수깡 안경을 만들기도 했지요.

3) '찡기는 내복'이 아니라 '째는 내복'이 맞네요. 옷이나 신 따위가 몸이나 발에 조금 작은 듯하다가 '째다'이니까요. 이제부터 옷이나 신발이 찡긴다가 아니라 짼다고 해야겠네요!

둘 사이에 어떤 사람이 찡겨 앉다, 라는 말도 자주 쓰는데 '찡겨 앉다'가 아니라 '끼어 앉다'가 맞는 말이네요. 부부 사이에 끼어 앉은 아이가 생각납니다.

2. 옷을 가리키는 말

우리는 가장 평화로운 시대에 살고 있다? 이것이 무슨 말인가? 얼마 전에도 울산 앞바다에서 토막 난 시신이 발견되고, 팔레스타인에서는 2차 세계대전 중에 죽은 유대인보다 더 많은 사람이 죽었는데? 그러나 '우리 본성의 선한 천사'라는 책에서는, 우리는 종의 역사상 가장 평화로운 시대에 살고 있을지도 모른다고 말한다. 현대인의 시선으로 보면 고대인들의 세상은 혼비백산할 정도였다. 친족을 노예로 부리고 군사 지도자는 아이와 민간인을 무차별적으로 죽였다. 자신의 수명을 누린 사람은 거의 없었다. 그러던 것이 시간이 흐르며 인류 역사에서 폭력이 차츰 줄어들고 있음을 자료를 통해 보여준다. 국가와 사법제도가 성립되고, 시민권, 여성권, 아동권, 성소수자권리, 동물권 운동이 잇달아 일어나면서 폭력이 감소해 왔다는 것이다.

우리가 가장 평화로운 세상에 살고 있다? 터무니없는 독재적 정치 상황과 대기업의 독선적 횡포가 난무하는데. 춥고 바람 불고 몸은 떨리는데? 눈도 오는데?

이번에는 **옷**을 가리키는 말을 찾아보았다.

◆ 핫바지: 솜을 두어 만든 바지

◆ 갓등거리: 토끼털·너구리털·양털 따위로 만든, 소매 없는 겉옷

◆ 갖옷: 짐승의 털가죽으로 안을 댄 옷

◆ 개구멍바지: 오줌이나 똥을 누기에 편하도록 밑을 튼 어린아이의 바지

◆ 고쟁이: 여자 속옷. 통이 넓지만 발목 부분으로 내려가면서 좁아지고 밑을 여미도록 되어 있다.

◆ 굿복: 광부가 갱내에서 일할 때 입는 옷 = 굿옷

◆ 동방: 긴 저고리에 중대님 친 바지로 이루어진 중의 평상복

두런두런 궁시렁궁시렁

1) 책 사이에 꽂아 두는 것은 책갈피가 아니고 갈피표랍니다! 책장과 책장 사이가 바로 책갈피입니다. 읽던 곳이나 필요한 곳을 찾기 쉽도록 책갈피에 끼워 두는 종이쪽지나 끈은 '서표', 순우리말로는 갈피표네요. 두꺼운 책에 박아 넣은 끈은 '갈피끈' '가름끈' '보람줄'이라고 합니다.

2) 삶은 지 오래되어 퉁퉁 **분** 국수가 아니라 퉁퉁 **불은**

국수가 맞습니다. 퉁퉁 불어서의 '분'은 붇다가 원형입니다. 붇다의 뜻은 '물에 젖어서 부피가 커지다'입니다.

3) 성인 남자의 목에 툭 불거진 것은 목젖이 아니라 울대뼈라고 합니다. 성년 남자의 갑상 연골에 있는, 뭐가 걸린 것처럼 툭 불거진 부분입니다. 입을 크게 벌리면 목구멍 안쪽에 보이는 젖꼭지처럼 생긴 것은 바로 목젖이고요. 변진섭의 희망사항이라는 노래 중에 나오는 부분. ♬웃을 때 목젖이 보이는 여자. 아마 티 없이 맑게 웃는 여자 같습니다.

3. 사냥에 대한 말

참새들이 짹짹거리며 싸락눈이 내린 마당을 뛰어다닌다. 아랫목에서 방학숙제를 하던 아이는 뭔가를 생각했는지 광으로 달려간다. 아이 손에 들려있는 것은 대나무 광주리. 아이는 마당에 광주리를 엎어 놓고 긴 새끼줄이 달린 막대기를 괴어 놓는다. 광주리 안에는 모이를 뿌려놓고 새들이 경계하지 않도록 모퉁이로 돌아간다. 참새들은 그것도 모르고 주위를 살피다가 하나둘 광주리 아래로 모여든다. 새끼줄을 손에 쥐고 때를 기다리던 아이는 이때다, 하고 잽싸게 새끼줄을 잡아당기고 참새들은 그 안에 갇힌다. 이것이 광주리 덫이다. 바수거리를 광주리 대신 써서 참새를 잡기도 했다. 바수거리는 지게 위에 얹던 발채를 말한다. 바작이라고도 하고 흥부골에서는 바지게라고도 했다. 맨지게 위에 얹힌 발채 안에 고구마, 참외, 감을 얹을 수 있었다.

발채나 광주리덫이나, 토끼몰이나 발채나 모두 사라져가는 것들이다. 자연과 친근한 문화 속에서 태어난 아이가 성장해 늙어지는 동안 그들이 즐겼던 것들도 하나둘 사라지고 있다. 물질이나 자본과 친근한 문화 속에서 자란 지금의 아이들은 과거와 다른 새로운 것을 즐기며 살고 있다.

이번에는 **사냥에 대한 말**을 찾아보았다.

◆ 날치: 날아가는 새를 쏘아 잡는 일

◆ 보라매: 난 지 일 년이 안 된 새끼를 잡아 길들여서 사냥에 쓰는 매

◆ 버렁: 매사냥에서 매를 받을 때에 끼는 두꺼운 장갑

◆ 불놓이: 총으로 사냥하는 일

◆ 헛불: 사냥할 때 짐승을 맞히지 못한 총질

◆ 털이꾼: 꿩 사냥에서 나무를 떨거나 소리를 질러 꿩을 날리는 사람

◆ 우레: 꿩 사냥을 할 때 불어서 소리를 내는 물건. 살구 씨나 복숭아씨에 구멍을 뚫어 만드는데, 그 소리가 마치 장끼가 까투리를 꾀는 소리와 같다.

두런두런 궁시렁궁시렁

1) 흔히 인민군 모자라고 부르는데 실은 '버빠깨'가 맞네요. 추울 때 쓰는 귀가리개 달린 모자. 이 모자는 추울 때 쓰면 아주 따뜻합니다. 아이들이 쓰고 눈싸움하기에도 좋습니다. 끝에 달린 두 줄을 턱밑에서 맞대어 쓰는 털모자랍니다.

2) 아름다운 아가씨 어찌 그리 예쁜가요? 아카시아 껌을 광고하던 노래가 생각납니다. 과수원길이라는 노래에도 아카시아꽃이 활짝 피어있지요. 그런데 우리가 알고 있는 나무는 아카시아가 아니고, 가시가 있다고 해서 **아까시나무**랍니다. 영어로도 진짜 아카시아와 닮은 나무라고 해서 가짜 아카시아라고 합니다.

3) 푸성귀를 겨울에 심는 일, 또는 그 푸성귀가 얼갈이네요. 이것이 배추면 우리는 흔히 봄동, 봄동 하는데 얼갈이배추가 맞네요.

4. 논·밭에 대한 말

요즘 들어 심심치 않게 등장하는 말이 있다. 안전사고라는 말이다. 뭔가 이상하지 않은가? 안전한 사고라는 뜻이다. 잘못 지어진 말이다. 안전이라는 말이 운전이라는 말과 결합하여 사용되는 것을 생각해 보면 금방 알 수 있다. 그런데 눈부시게 물질문명이 발전한 대한한국에서 사고가 끊이지 않는 이유는 뭘까?

한국의 근대문명은 조선 말 증기기관차와 함께 들어왔다. 기차 소리는 우레 같았고, 나는 새보다 더 빠르게 달렸다. 사람들은 철도가 실어 온 신문명과 신문화에 놀라면서 신기해했지만, 대형사고도 따라 들어온 것을 미처 알지 못했다. 그때까지 사람들은 특별한 경우가 아니면 비명횡사할 위험이 없었지만, 기계문명이 들어오면서 문지방을 나서기만 하면 사고로 목숨을 잃을 위험에 처했다. 전차사고는 다반사였고, 더운 여름에 철로를 목침대용으로 잠을 자던 사람들의 목이 무수히 잘려 나가기도 했다. 그런가 하면, 근대적 시간관념은 얼마나 낯설었던가. 날이 밝으면 일어나고, 해가 지면 들에서 돌아오던 조선인들에게 근대적인 등교 시간, 열차 시간을 맞추기는 더더욱 어려웠다. 아직도 우리는 서

구문명의 질서에 적응 중이 아닐까. 여차하면 일어나는 사고에 대해서도 내면화 중이고….

이번에는 **논·밭에 대한 말**을 찾아보았다.

- 개똥밭: 땅이 건 밭
- 장구배미: 장구 모양과 같이 가운데가 잘록하게 생긴 논배미
- 검은그루: 지난겨울에 아무 농작물도 심지 않았던 땅
- 흰그루: 지난겨울에 곡식을 심었던 땅
- 두둑
     1) 밭과 밭 사이에 길을 내려고 흙으로 쌓아 올린 언덕.
     2) 논이나 밭을 갈아 골을 타서 만든 두두룩한 바닥
- 물꼬: 논에 물이 넘어 들어오거나 나가게 하기 위하여 만든 좁은 통로
- 무삶이: 논에 물을 대어 써레질을 하고 나래로 고르는 일
- 사래 : 묘지기나 마름이 수고의 대가로 부쳐 먹는 논밭

두런두런 궁시렁궁시렁

1) 박미경이 부른 '민들레 홀씨 되어'라는 노래에는 님을 그리는 간절함이 있습니다. 그렇지만 민들레에는 홀씨가 없다고 합니다. 홀씨로 번식하는 이끼나 곰팡이와 달리 민들레는 종자식물입니다. 바람에 날리는 민들레 씨는 갓털 또는 상투털이라고 합니다. 그러니까 '민들레 홀씨 되어'가 아니라 '민들레 갓털 되어'랍니다.

2) 국립국어원에서는 '우리말 다듬기'를 통해 한국어 순화어를 선정했네요. 이제 에어캡은 '뽁뽁이'로, 차에 앉은 채 구매하는 드라이브 스루는 '승차구매(점)'로, 백패킹은 '배낭 도보 여행' 또는 '등짐 들살이'로, OTP는 '일회용 비밀번호'로, 파노라마 선루프는 '전면 지붕창'으로, 순화했네요.

3) 캥거루가 새끼를 넣고 다니는 주머니는 '배주머니'나 '아기집'이 아니라 '새끼주머니'라고 합니다.

5. 머리에 대한 말

11번 마을버스를 타려고 정류장에 섰다. 서창시장 쪽에서 바람이 휭 하고 불어온다. 사람들은 정류장 앞에서 기다리기보다 택시 승강장 앞에 놓인 벤치에 앉아 있다.

주위를 둘러보다 발견한 남성전용 클리퍼 앞에 놓여 있는 한 대의 자동판매기. 그 안에는 서창시장과는 달리 환한 조명 속에 앉아 있는 물건들이 있다. 미니 자동차, 지포라이터. 인형 등 공산품들이 주인을 기다리고 있다. 기계 작동법을 읽어본다. 500원 동전을 투입구에 넣으면 핸들을 움직일 수 있는 권리가 부여된다. 그때 한 외국인이 여자 친구와 함께 그 앞으로 가더니 동전을 넣었다. 화려한 음악 소리와 함께 핸들이 몸을 부르르 떤다. 저 소리가 무슨 소리일까? 혹시 자본주의 작동 소리가 아닐까? 그는 몇 번 핸들을 움직이더니 손쉽게 인형을 뽑아 여자 친구에게 선물로 준다. 부러운 마음이 든다. 내게는 없는 재주다. 한 번도 이런 뽑기에 성공해 본 적이 없다. 물론 다른 친구들도 어려웠을 것이다. 만약 누구에게나 쉬운 뽑기였다면 사업자는 좀 더 기계의 난도를 높였을 것이다. 마치 변별력이 중요한 수능시험문제처럼 말이다. 어쩌면 이것이 자본주의의 작동 원리가 아닐까. 쇼윈도 속에서 빛나는 물건을 사기 위해서는 금전이 필요하고, 그러려면 직장에서 쉬지 않고 일해야 하고… 그래서 우리 사회는 각종 스펙이 요구되는 비인간적인 경쟁사회가 된 것일까? 또 먼저 높은 곳에 올라가 사다리를 걷어차야 하고….

이번에는 **머리에 대한 말**을 찾아보았다.

- ◆ 덩덕새머리: 빗질을 하지 않아서 더부룩한 머리
- ◆ 도투락머리: 어린 계집아이가 드리는 자줏빛 댕기를 드린 머리.
- ◆ 몽구리: 바싹 깎은 머리. 비슷한 말은 뭉구리
- ◆ 쑥대머리: 머리털이 마구 흐트러져 어지럽게 된 머리.
  = 쑥대강이
- ◆ 떠꺼머리: 장가나 시집갈 나이가 넘은 총각이나 처녀가 땋아 늘인 머리.
- ◆ 뚜께머리: 머리털을 층이 지게 잘못 깎아 뚜껑을 덮은 것처럼 된 머리.
- ◆ 바둑머리: 어린아이의 머리털을 조금씩 모숨을 지어 여러 갈래로 땋은 머리.

두런두런 궁시렁궁시렁

1) 사랑에 빠지면 눈에 콩깍지가 씐다, 라고 하는데 콩깍지가 아니고 '콩꺼풀'이네요. 콩깍지는 꼬투리에 담겨 있던 콩을 다 털어낸 빈껍데기입니다. 또 둥근 콩알을 싸고 있는 반투명체의 막이 콩꺼풀입니다. 콩꺼풀, 참 좋은 것입니다.

2) 죄인을 엎드리게 하여 팔다리를 묶던 T자 모양의 틀은 '곤장틀'이 아니라 '장판' 또는 '장대'라고 합니다. 죄인의 볼기를 치는 넓적한 나무 몽둥이가 '곤장'입니다. 저놈을 매우 쳐라. 에이! 하나요! 둘이요! 아이구, 나 죽는다!!

3) 주구장창 술 마시고, 주구장창 연애하고, 라는 말을 자주 쓰는데 주야장천(晝夜長川)이라고 합니다. '밤낮으로 쉬지 않고 연달아'의 뜻입니다.

6. 신체 부위를 가리키는 말

김순아 시인이 쓴 성형시대라는 시를 읽는다. 지금은 바야흐로 성형시대야, 따뜻한 감정, 올바른 정신? 눈에 보이지 않는 것을 어떻게 믿어? 젊고 아름다운 몸은 인격이고, 신분이고, 계급이야, …어서 가, 아름다움의 유토피아가 열리는 곳으로.

시를 읽다가 문득 이 말이 떠오른다. 아버지 날 낳으시고, 어머니 날 기르시고, 성형외과 의사 선생님 나를 만드시니…. 어쩌면 이 시대의 성형외과 의사 선생님은 전지전능하신 창조주 지위를 획득한 것이 아닐까, 하는 생각이 든다. 완벽한 신체를 원하는 사람들의 눈꺼풀을 만들고, 코를 세우고, 턱을 깎아 준다. 불완전한 신체로 인해 불행하다고 느끼는 사람들을 행복하게 만들어 준다. 그러나 완벽하기를 바라는 우리들, 불완전한 인간이 만들어 내는 것은 늘 옥의 티 이상의 결함이 있다. 아주 싼 가격으로, 멋진 외모를 가지게 된다면 얼마나 좋을까? 그것이 참으로 아쉽다.

권오운 선생님 말씀처럼 우리말 우리글은 어떻게 다루느냐에 따라 그 맛과 빛깔이 달라진다. 아는 도둑놈 묶듯 해 놓으면 물이 새기 마련이고, 그렇다고 도붓장수 개 후리듯

하면 종내는 이가 빠지든가 금이 가게 마련이다.

이번에는 **신체 부위를 가리키는 말**을 찾아보았다.

◆ 눈시울: 눈언저리의 속눈썹이 난 곳

◆ 눈초리: 눈의 귀 쪽으로 째진 부분

◆ 눈살: 두 눈썹 사이에 잡히는 주름

◆ 눈물받이: 눈물이 흘러내리는 곳에 있는 사마귀

◆ 귀젖: 귀나 그 언저리에 젖꼭지 모양으로 볼록 나온 군
살

◆ 관자놀이: 귀와 눈 사이의 맥박이 뛰는 곳

◆ 며느리발톱: 새끼발톱 뒤에 덧달린 작은 발톱

◆ 멱: 목의 앞쪽

◆ 멱살: 사람의 멱 부분의 살, 또는 그 부분

◆ 몸맨두리: 몸의 모양과 태도

두런두런 궁시렁궁시렁

1) 박박머리가 아니라 빡빡머리가 바른 표현입니다. 말
그대로 빡빡 깎은 머리, 또는 그런 머리 모양을 한 사람입
니다. 까까머리라고도 합니다. 머리를 박박 깎았다고 하면
말이 되지만 박박머리는 없습니다. 떠꺼머리라는 말도 있습

니다. 장가나 시집갈 나이가 넘은 총각이나 처녀가 땋아 늘인 머리입니다. 결혼할 때가 된 사람들이죠. 아, 지금은 사극에서나 볼 수 있군요.

2) 바닷물고기 좋아하시죠? 이면수가 아니라 임연수어가 맞습니다. 옛날 관북 지방의 임연수라는 사람이 잘 잡았다고 해서 붙여진 이름이라고 합니다.

3) 신발을 꺾어 신는다거나 구두 뒤축을 구겨 신는다는 말을 자주 쓰는데 아름다운 우리말이 있습니다. 신이나 버선 따위를 뒤축이 발꿈치에 눌리어 밟히게 신다, 는 뜻의 순우리말 '지르신다'가 있습니다. 얘야, 신발 지르신지 말아야지!

7. 잠에 대한 말

언제부터인가 안개 끼거나 비 오는 날에는 자동차의 미등과 전조등을 켠다. 아직도 라이트 켜는 것을 내켜 하지 않는 운전자들이 많지만 유럽에서는 2011년부터 교통사고 예방에 효과적인 주간주행등을 의무적으로 장착하고 있다. 교통사고를 줄일 뿐 아니라 차량이 쉽게 눈에 띄어 보행자들 또한 조심하게 된다고 한다.

비올 듯 흐린 날, 작동 가는 길 위에서 한 대의 고급 승용차를 만났다. 비상등도 켜지 않고 서 있어 잠시 기다리는데, 곧 차를 비켜 주며 창문 밖으로 손을 내밀어 라이트를 끄라는 신호를 보낸다. 운전자를 보니 머리가 하얗다. 칠순이 넘어 보인다. 그분은 아마도 시대가 변했음을 모르는 듯했다. 과거에는 차량 수도 적었지만 행사 차량이나 긴급 차량이 아니면 낮에 전조등을 사용할 엄두를 못 냈다.

사람은 사십 이후가 되면 새로운 것을 학습하기 어렵다는 말도 떠오른다. 아마도 그분은 가난하게 태어나 한국전쟁을 겪은 내 아버지 세대이고, 권위주의와 황금만능주의 시대를 지나왔을 것이다. 북한에 관해서는, 정부가 말하는 것을 무조건 믿어야 했던 레드 콤플렉스 세대이다. 오로지 자식들

용 만들기 위해 삶을 돌아볼 겨를이 없었던 세대이기도 하다.

이제 자신을 보호하기 위해서라도 안개가 끼거나 비가 오는 날이면 라이트를 켜자. 우리는 터미네이터가 아니다.

이번에는 **잠에 대한 말**을 찾아보았다.

- ◆ 괭이잠: 깊이 들지 못하고 자주 깨면서 자는 잠
- ◆ 나비잠: 갓난아이가 두 팔을 머리 위로 벌리고 자는 잠
- ◆ 갈치잠: 비좁은 방에서 여럿이 모로 끼어 자는 잠
- ◆ 꽃잠: ①깊이 든 잠 ②신랑 신부의 첫날밤 잠
- ◆ 돌꼇: 한자리에 누워 자지 않고 이리저리 굴러다니면서 자는 잠
- ◆ 등걸잠: 옷을 입은 채 아무것도 덮지 않고 아무 데나 쓰러져 자는 잠
- ◆ 도둑잠: 자야 할 시간이 아닌 때에 남의 눈에 띄지 않도록 몰래 자는 잠
- ◆ 노루잠: 깊이 들지 못하고 자꾸 놀라 깨는 잠

두런두런 궁시렁궁시렁

1) 술래가 된 사람이 빙 둘러앉은 사람들의 뒤를 돌다가

어떤 한 사람 뒤에 수건을 놓고 한 바퀴 돌 때까지 자기 뒤에 수건이 있는지 모르고 앉아 있으면 그 사람이 술래가 되는 놀이는, 손수건 놀이가 아니고 '수건돌리기'랍니다. 7080 시대 배경의 영화나 드라마 중에 나옵니다. 연인들이 서로의 마음을 은근슬쩍 표현하기도 하지요.

2) 옛날 아이들은 팽이를 스스로 깎아 놀았는데, 팽이 돌리기가 아니고 '팽이치기'라고 합니다. 팔방놀이가 아니고 '사방치기'입니다. 사방치기는 돌차기, 깨금집기, 목자놀이라고도 합니다. 방언으로 팔방놀이, 망까기, 오랫말놀이라고도 합니다. 저는 목자치기라고 한 것 같은데. 마빡이 노래가 생각납니다. 술래잡기, 고무줄놀이….

3) 여름에 아휴, 덥다! 하며 손바닥을 펴서 부채 삼아 부치는 일은 '손부채'라고 합니다. 또 햇볕을 가리기 위해 손을 펴서 이마에 대는 것은 '손차양'이라고 합니다.

8. 신체 부위를 가리키는 말 2

나는 아무 소용 없는 인간이야, 라고 말하는 여자에게 남자는 말한다. 이 세상에 돌멩이 하나가 아무 소용 없다면, 저 하늘에 수많은 별도 다 소용없어. 페데리코 펠리니 감독의 <길>이라는 영화에서 나오는 내용이다. 이것을 보자, 문득 연인들에게가 아니라 자살을 생각하는 아이들에게 들려주고 싶어졌다. "네가 자신을 쓸모없는 인간이라고 생각한다면, 저 하늘의 별도 쓸모가 없을 거야. 그게 무슨 말이냐고? 너와 별, 우주의 모든 것은 다 의미가 있고, 서로 연결되어 있으니까." 이어서 이렇게 말하고 싶다. 쉽게 판단하지 말자! 사람의 기억은 늘 착오를 일으키고, 자신이 기억하고 싶은 것만 기억하는 야릇한 속성을 지니고 있다. 눈이란 것도 그렇다. 착시를 일으키는 경우가 얼마나 많은가? 우리는 자신이 보고 싶은 것만 본다. 그리고 우리가 배운 서양의 합리적인 사고, 매스컴을 통해 알게 된 얕은 지식으로 삶을 판단하는 것은 잘못이 있을 수도 있다는 것. 식물의 연구라는 책에 의하면 수천 킬로미터 떨어진 배에서 자신이 키우던 화초를 단지 생각하는 것만으로도 화초는 전극반응을 보였다고 한다. 돌멩이 모습이든 별의 모습이든 너는 소중하다!

이번에는 **신체 부위를 가리키는 말**을 찾아보았다.

◆ 속손톱: 손톱의 뿌리 쪽에 있는 반달 모양의 하얀 부분

◆ 손톱눈: 손톱의 좌우 가장자리와 살의 사이

◆ 숫구멍: 갓난아이의 정수리가 굳지 않아서 숨 쉴 때마다 발딱발딱 뛰는 곳

◆ 아늠: 볼을 이루고 있는 살. 아늠살

◆ 알젓: 버선이나 양말이 해져서 밖으로 비어져 나온 발가락을 속되게 이르는 말

◆ 우멍거지: 포경(包莖)을 일상적으로 이르는 말

◆ 자개미: 겨드랑이나 오금 양쪽의 오목한 곳

◆ 진구리: 허리 양쪽으로 잘록하게 들어간 부분

◆ 공알: 여자의 외음부에 있는 작은 돌기. 음핵, 클리토리스

◆ 쥐젖: 사람의 살가죽에 생기는, 젖꼭지 모양의 갸름하고 작은 사마귀

두런두런 궁시렁궁시렁

1) '헹가래'는 우승한 운동선수들이 감독을 공중으로 들

어 올렸다 내렸다 하는 것만 생각하는데, 바닷가에서 수영 못하는 친구를 들어서 바닷물에 빠뜨리는 것도 헹가래라고 합니다. 여러 사람이 한 사람의 활개를 들어 올려 자꾸 내밀었다 들이켰다 하는 것도 헹가래네요. 아, 올여름에도 짓궂은 친구들이 헹가래를 많이 하겠네요!

2) 바닷물이 빠진 갯벌에서 꼬막 캐는 모습이 한 번씩 텔레비전에 나옵니다. 벌교던가요? 이때 펄에 발이 빠지는 것을 방지하기 위해 밀고 다니는 판자를 무어라고 할까요? '널배' 또는 '뻘배'라고 두산백과사전에 나와 있는데 국어사전에는 안 나오네요.

3) 전에 아버지들이 방에 앉아 계실 때 잘 하셨던 자세지요. 앉아서 두 무릎을 세우고 무릎이 팔 안에 안기도록 끼는 깍지는 바로 '무릎깍지'라고 합니다.

9. 가족이나 사람을 가리키는 말 2

텔레비전은 이제 누구도 어쩌지 못하는 고약한 친구가 되었다. 집에 들어서기 무섭게 텔레비전을 켜야 무언가 안심이 된다. 쉬는 날에도 하루 종일 틀어 놓고, 잠자기 위해 눈을 감기 전까지 텔레비전에서 눈을 떼지 못한다.

처음 고향 오지에 텔레비전이 들어왔을 때가 생각난다. 그 놀라움이라니, 말로 표현하기 힘들었다. 사람들은 그것을 보며 환성을 지르다가 차츰 자신들이 얼마나 불행한지 알게 되었다. 그때까지 주변에 사는 사람들은 자신들과 비슷했다. 비슷한 옷에 사기그릇에 밥을 먹고, 고무신을 신었다. 그러나 텔레비전에 나오는 사람들은 생각할 수 없이 좋은 집과 차에 좋은 옷을 입고 있었다. 청년들은 시골을 버리고 도시로 가게 되었다. 예쁜 여배우가 키스하는 모습을 본 것일까? 아무튼 시골에 남아 살게 된다면 세상에 뒤떨어진 사람이 될 수밖에 없는 터였다. 그러나 도시로 간 그들이 행복했을까. 쉬지 않고 일해 번 돈으로 멋진 물건들을 사고, 아이들을 대학까지 보냈지만 행복해지지 않았다. 주변을 둘러볼 필요도 없이 텔레비전을 켜기만 하면 더 좋은 집에서 유유자적하는 부자들이 있었다. 그들은 한숨을 내쉰다. 텔레비전에서 보여주는 것처럼 살아야만 행복해질 것처럼 여겨진다.

이번에는 **가족이나 사람을 가리키는 말**을 찾아보았다.

- 무녀리: 말이나 행동이 좀 모자란 듯이 보이는 사람
- 발록구니: 하는 일이 없이 놀면서 돌아다니는 사람
- 서리병아리: 힘이 없고 추레한 사람을 비유적으로 이르는 말
- 대못박이: 아주 둔하고 어리석어서 몇 번이나 가르쳐도 깨닫지 못하는 사람
- 부라퀴
  ①몹시 야물고 암팡스러운 사람
  ②자신에게 이로운 일이면 기를 쓰고 덤벼드는 사람
- 새줄랑이: 소견 없이 방정맞고 경솔한 사람
- 덤받이: 여자가 전남편에게서 배거나 낳아서 데리고 들어온 자식
- 움딸: 죽은 딸의 남편과 결혼한 여자
- 되모시: 이혼하고 처녀 행세를 하고 있는 여자

두런두런 궁시렁궁시렁

1) 이리 오너라, 업고 놀자! 사랑 사랑 사랑 내 사랑이야. 판소리 춘향가를 공연하는 명창은 노래(창)도 하지만 요즘 말하는 랩(아니리)도 합니다. 그때마다 손에 든 부채를 접었다, 폈다 하며 관객의 눈을 사로잡습니다. 용도가 다양한 이 부채는 접는 부채라고 하지 않고, '접부채'나 '쥘부채'라고 합니다.

2) '생뚱맞다'도 되고, '생뚱스럽다'도 되지만 '생뚱 같은'은 허용되지 않습니다. '하는 행동이나 말이 상황에 맞지 아니하고 엉뚱하다'가 '생뚱하다'니까요.

3) 사랑과 평화가 부른 노래(한동안 뜸했었지)에 안절부절-했었지, 라는 가사가 나옵니다. 그런데 '안절부절하다'가 아니고 '안절부절못하다'가 맞습니다. '마음이 초조하고 불안하여 어쩔 줄 모르다'는 뜻입니다.

10. 때·찌끼·재에 대한 말

외국인은 몇 주만 쿠바에 살면 쿠바인이 되지만, 한국에서는 아무리 오래 살아도 계속 외국이라고 말하는 오로 파드론(33)의 말에 부끄러워진다. (경향신문 저자와의 대화) 백인이 아니어서 사람들이 함부로 대했을까. 우리는 백인들에 대해서만 우호적이니까. 수평적 분위기 속에서 자라온 그에게 한국의 수직적 인간관계도 적응하기 어려운가 보았다. 그뿐 아니다. 한국의 친구 부부가 아이들에게 명령하거나 강압적으로 공부하라는 말에 기겁했다니, 나로서는 생각지도 못했던 일이다. 어느 모임에서는 나이 든 남성이 여성의 말을 무례히 가로채는 것을 보고 또 기겁을 했나 보다. 우리에게는 낯설지 않은 풍경인데, 씁쓸해진다. 한국에서는 나이 때문이든 상하관계에서든 그렇게 사람을 함부로 대한다. 한 마디로 인간에 대한 존중이 부족한 우리들이다.

그런 그가 <쿠바 알 판 판 알 비노 비노> 라는 책을 내고, 한국에 눌러살기로 했다는데 은근히 걱정이 된다. 가족들은 쿠바에 있고 한국어도 못한다는데, 외국인 노동자 취급 받지 않을까 해서. 그래도 그는 낙천적이다. 모든 일에는 다 이유가 있는 법! 카리브해에 살면 모든 걸 잃는 데 익숙해요. 태풍이나 홍수로 다 잃고, 정부가 다 가져가고… 태풍이 지나간 다음 날 웃으며 '그래, 다시 시작하자!'고 말하는 사람들을 많이 봤어요. 라고. 그런 그에게 이 나라가 싫으면 너희 나라로 가든가, 라고 누군가 말할까 참으로 무섭다.

이번에는 **때·찌끼·재에 대한 말**을 찾아보았다.

- ◆ 나부랭이: 종이나 헝겊 따위의 자질구레한 오라기.
- ◆ 너스래미: 쓸데없이 물건에 붙어 있는 거스러미나 털 따위
- ◆ 골마지: 간장, 된장, 술, 초, 김치 따위 물기 많은 음식물 겉면에 생기는 곰팡이 같은 물질
- ◆ 더께: 몹시 찌든 물건에 앉은 거친 때
- ◆ 더뎅이: 부스럼 딱지나 때가 거듭 붙어서 된 조각 = 더데
- ◆ 더껑이: 걸쭉한 액체의 거죽에 엉겨 굳거나 말라서 생긴 꺼풀.
- ◆ 너겁: 괴어 있는 물에 함께 몰려서 떠 있는 지푸라기, 티끌 따위의 검불
- ◆ 서덜: 살을 발라내고 난 생선의 뼈, 대가리, 껍질 따위

두런두런 궁시렁궁시렁

1) 요즘은 담배가 건강의 적으로 지탄을 받고 있는 중입니다만 건강을 위해 담배를 권하던 시절도 있었답니다. 배운 지 얼마 되지 않아 아직 맛도 모르고 피우는 담배는 '풋담배'네요. 연기를 깊이 들이마시지 않고 입안까지만 넣었다 내보내는 담배질인 '뻐끔담배'와 비슷하지요. 김광석의 '서른 즈음에'라는 노래에, '내뿜은 담배 연기처럼'이라는 가사가 나오는데 풋담배는 아니겠지요.

2) 빚쟁이라는 말은 두 가지 뜻이 있습니다. 남에게 돈을 빌려준 사람을 낮잡아 이르기도 하고, 빚을 진 사람을 낮잡아 이르기도 하네요.

3) 콩이나 팥의 꽃은 '노굿'이라고 합니다. 그 꽃이 피면 콩꽃이나 팥꽃이 핀다고 하지 않고 '노굿인다' 또는 '노굿이 일다'고 합니다.

11. 몸짓에 대한 말

많은 사람에게 희망을 주었던 노래, 인순이의 <거위의 꿈>을 듣는다. 그녀는 한때 거위였지만 꿈을 가꾸고 피워 이제는 날게 되었다는 생각이 든다. 인순이는 '해밀'이라는 대안학교도 운영하고 있다. '해밀'은 '비가 온 뒤에 맑게 갠 하늘'이라는 뜻의 순우리말이다. 거위의 모습을 생각하다 보니, 문득 철학자 쇠얀 키에르케고르의 들오리 이야기가 생각난다. 지중해에 살던 들오리 떼가 추운 노르웨이 땅으로 날아가고 있었다. 네덜란드 상공을 지나던 들오리 한 마리가 집오리들이 뜰에 옹기종기 모여 편안하게 먹이를 먹는 것을 보았다. 들오리는 허겁지겁 아래로 내려간다. 들오리는 집오리의 융숭한 대접을 받으며 며칠을 신나게 지낸다. 그러다가 이러면 안 되겠다 싶어 다시 날아오르려고 날개를 퍼덕인다. 그런데 너무 살이 쪄서 날 수가 없다. 에이, 내일 날아가지 뭐. 들오리는 그렇게 내일, 내일 하다가 많은 날이 흘렀다. 마침내 하늘에 들오리 친구들이 지중해를 향해 날아가는 모습이 보인다. 들오리는 다시 날아오르려 애쓰지만 날아오를 수 없다. 현실과 물질의 편안함과 안락함에 주저 앉으면 이렇게 되는가 싶다.

이번에는 **몸짓에 대한 말**을 찾아보았다.

- 넉장거리: 네 활개를 벌리고 뒤로 벌렁 나자빠짐

- 곤댓짓: 젠체하며 뽐내어 하는 고갯짓

- 고달: ①점잔을 빼고 거들먹거리는 짓 ②말을 못하는 어린아이가 화를 내며 몸부림치는 짓

- 배냇짓: 갓난아이가 자면서 웃거나 눈, 코, 입 따위를 쫑긋거리는 짓

- 앙감질: 한 발을 들고 한 발로만 뛰는 짓

- 자반뒤집기: 몹시 아파서 몸을 엎치락뒤치락하는 짓

- 몸태질: 감정이 격해져서 기를 쓰면서 자기 몸을 부딪거나 내던짐

- 이춤: 가려운 데를 긁지 못하여 몸을 일기죽거리며 어깨를 으쓱거리는 짓.

두런두런 궁시렁궁시렁

1) 보채는 아기를 안고 '우리 아기 둥둥'하며 어릅니다. 칭얼거리다 방싯 웃으면 '까꿍'하거나 '도리도리 짝짜꿍'을 합니다. 왼손 손바닥에 오른손 집게손가락을 댔다 뗐다 하라는 뜻으로 내는 소리는 '곤지곤지', 아기를 손바닥 위에 세우며 곧추서라고 어르는 소리는 '곤두곤두'입니다. 아기는

어른들을 금방 행복하게 합니다.

2) 된장이나 고추장 등 음식물에 생긴 구더기는 장벌레가 아니라 '가시'라고 합니다. '구더기 무서워 장 못 담그랴'는 속담을 '가시 무서워 장 못 담그랴'라고도 합니다.

3) 두 다리의 사이(또는 '두 물건의 틈')는 '샅'이라고 합니다. 손가락과 손가락 사이는 '손샅', 발가락과 발가락 사이는 '발샅'입니다. 시골의 좁은 골목길이나 좁은 산골짜기 사이는 '고샅'입니다. 그래서 씨름할 때 허리와 다리를 둘러 묶어서 손잡이로 쓰는 무명천을 '샅바'라고 부릅니다.

12. 감·밤에 대한 말

 문자 알림 휘파람 소리가 들려온다. 사막의 불사조 송경태 박사가 보낸 문자다. 내일 오전 6시 EBS 방송 희망풍경 송경태의 도전하는 삶이 방영됩니다. 행복한 시간 되세요. 카카오스토리를 통해 우연히 알게 된 분이다. 송경태 박사는 22살, 군 복무 중 폭발사고로 인해 시각을 잃었다. 현재 53세, 시각장애 1급이다. 그는 사재를 털어 전북시각장애인 도서관을 만들었고, 4대 사막 마라톤을 완주하여 사막의 불사조가 되었다. 올해 4월 25일에는 시각장애인 최초 에베레스트 등반을 시도했는데, 도중에 일어난 네팔 대지진으로 철수하기도 했다.

 어떻게 그를 알게 되었을까. 그가 고향 뒷산인 봉화산 매봉에 오른 사진을 카카오스토리에 올렸길래, 반가움에 댓글을 단 것이 인연이 되었다. 이것도 하나의 길이 아닐까 싶다. 철학자 김용석 님은 펠리니의 <길>을 통해 말한다. 우리 인생의 수많은 길들, 잘못 들어서서 막다른 좌절을 겪게 하는 길들, 잘 들어서서 자유와 환희 그리고 진정으로 소통하게 해주는 길들, 우연한 만남으로 시작된 필연적 동행의 길들. 그런 길들이 우리 인생에 수없이 깔려 있다. 나와 송경태 박사는 어떤 길 위에 서 있을까. '삼 일만 눈을 뜰 수 있다면',이라는 그의 시를 읽어본다.

이번에는 **감·밤에 대한 말**을 찾아보았다.

- 감또개: 꽃과 함께 떨어진 어린 감 = 감똑
- 먹감: 볕을 받는 쪽이 검게 되는 감
- 준시: 꼬챙이에 꿰지 않고 납작하게 말린 감
- 침감: 소금물에 담가서 떫은 맛을 없앤 감 = 우린감, 감김치, 침시
- 밤느정이: 밤나무의 꽃 = 밤꽃, 밤늦
- 보늬: 밤이나 도토리 따위의 속껍질
- 회오리밤: 밤송이 속에 외톨로 들어앉아 있는 동그랗게 생긴 밤
- 쌍동밤: 한 껍데기 속에 두 쪽이 들어있는 밤

두런두런 궁시렁궁시렁

1) 평발은 군대 안 가도 된다는 속설이 있는데 사실은 아닙니다. 축구선수 박지성도 평발이었다고 합니다. 평발은 발이 오목하게 들어간 데가 없이 평평하게 생긴 발입니다. '편평족'이라고도 합니다.

2) 볼이 넓고 바닥이 평평하게 생긴 발은 '마당발'이라고 합니다. '납작발'이라고도 하는데 인간관계가 넓어서 폭넓게 활동하는 사람을 말하기도 합니다. '안짱다리'는 두 발끝이 안쪽으로 휜 다리이고, '안짱걸음'은 두 발끝을 안쪽을 향해 들여 모아 걷는 걸음입니다.

3) 초등학교 앞에서 팔던 노란 병아리가 없었다면, 고 신해철의 '날아라 병아리'라는 노래는 없었겠지요. 이름이 얄리입니다. …암탉이 알을 배기 위해 수탉을 부르는 소리는 '골골'이고, 그러는 짓을 '골골거리다' 또는 '알곁다'고 합니다. 또 '땅까불'은 암탉이 땅바닥에 몸을 비비적거리는 것을 말합니다.

13. 몸짓에 대한 말 2

스코틀랜드 가난한 베틀 직공 아들로 태어난 카네기는, 온갖 고생을 한 끝에 세계적인 갑부가 되었다. 그러나 사회에서 나온 부는 살아 있을 때 사회로 돌려주는 게 마땅하다고 생각한 그는 생전 재산의 90%를 사회에 헌납했다. 제대로 교육받지 못한 그가 똑똑해진 것은 도서관의 책 덕분이라고 생각해서 도서관에 기부하는 것을 좋아했다. 그러나 그는 악덕 기업주였다. 그의 노동자들은 저임금과 장시간 노동에 시달렸다. 구사대로 인해 10명의 노동자가 사망하기도 했다. 자본주의 성공신화의 주인공 카네기는 노동자들이 자신처럼 성공하지 못하는 것을 이해하지 못했다. 임금을 올려줘 봐야 낭비할 것이라고 속단했다. 이런 그였지만 노예제나 미국 제국주의에는 반대했고, 국제사법 재판소 설치나 국제연맹을 주창하기도 했다. 더 놀라운 것은 그가 마마보이였다는 사실. 그는 어머니가 죽고 난 후에야 사랑하던 여자와 결혼했다. 앤드류 카네기의 <부의 복음>에 대해 쓴 김환영의 '마음고전'에 나오는 내용이다

아무튼 부는 개인이 아니라 공동체 전체 산물이라고 생각한 그 덕분에 미국은 기부사회가 되었다. 롤모델이 있었지

만, 훌륭함도 돌고 돌아 전염이 되는지 빌 게이츠나 워런 버핏, 마크 저커버그도 그의 뒤를 잇고 있다. 인생은 공수래 공수거, 그의 말대로 부자로 죽는 것은 부끄러운 일이다.

이번에는 **몸짓에 대한 말**을 찾아보았다.

◆ 잠투정: 어린이가 잠을 자려 할 때나 잠이 깨었을 때 때를 쓰며 칭얼거리는 짓

◆ 물똥싸움: 상대편에게 물을 끼얹어 물러나게 하는 놀이 = 물싸움

◆ 뒷손: 겉으로는 아니라면서 뒤로 슬그머니 손을 내미는 짓.

◆ 거레: 까닭 없이 지체하며 매우 느리게 움직임

◆ 궁둥잇짓: 걸을 때나 춤을 출 때 궁둥이를 내흔드는 짓

◆ 모들뜨기: 몸이 중심을 잃고 나가떨어지는 일

◆ 무자맥질: 물속에서 팔다리를 움직여 떴다 잠겼다 하는 짓

◆ 발씨: 길을 걸을 때 발걸음을 옮겨 놓은 모습

두런두런 궁시렁궁시렁

1) '하룻강아지 범 무서운 줄 모른다'는 우리 속담이 있는데 '하릅강아지'나 '발탄강아지'로 바꾸어야 합니다. 하룻강아지는 태어난 지 얼마 안 되거나 하루밖에 안 되었으니 범을 알 리 없습니다. 태어난 지 1년 된 강아지가 '하릅강아지'고, 걸음을 걷기 시작한 강아지는 '발탄강아지'라고 합니다.

2) 우리말은 외국어와 달리 물고기나 짐승의 어린 것을 별도의 이름으로 부릅니다. 명태새끼는 노가리, 고등어새끼는 고도리, 농어는 껄떼기, 괴도라치는 설치(말리면 뱅어포), 전어는 전어사리, 청어는 굴뚝청어, 돌고기는 가사리, 갈치는 풀치네요.

3) 새나 짐승도 그렇습니다. 말새끼는 망아지, 호랑이새끼는 개호주, 곰은 능소니, 꿩은 꺼병이, 매는 초고리라고 부르는데, 새끼도 자란 정도에 따라 다른 이름이 있습니다. 그해에 난 말은 '금승말', 알에서 갓 깬 병아리는 '솜병아리'라고 합니다.

14. 걸음걸이에 대한 말

　자급자족이 사라지고 식량이 부족해지는 사태가 도래했다. 이제 먹고살 만하다고 자동차를 굴리고, 서구의 세련된 문화를 받아들여 멋지게 살고픈 사람에게 무슨 말인가? 이것은 우리보다 먼저 산업화가 진행된 유럽에서 먼저 찾아온 현상이다. 직접 가꾸고 거둔 것을 오일장에 내다 팔던 시절은 이미 사라졌다. 거대한 마트가 등장하면서 사람들은 그곳에서 먹을 것을 사들인다. 천재지변이 일어나면 도시에 사는 사람들은 얼마나 버틸 수 있을까? 도시가 급속히 비대해진 반면 시장은 불안해졌다. 경향신문 서평, 빵과 벽돌의 저자, 빌프리트 봄머트가 보기에 해결책은 하나, 자급자족의 부활이다. 살아남으려면 도시농업이 필요하다. 고층빌딩에서 경작되는 쌀과 양배추밭이 아니라 현관 앞 자루에서 재배되는 시금치, 유리컨테이너에서 자라는 감자와 토마토, 건물 옥상에서 열매 맺는 홍당무와 호박이 우리의 먹을거리가 돼야 한다는 것이 저자의 주장이다.

　2008년 식량위기 때 케냐에서는 자국 텃밭의 채소로 버텼다고 한다. 현재 베이징은 채소의 절반을 도시의 텃밭으로부터 공급받는다. 위기는 이미 시작됐고, 해법은 식량의

자급자족이다.

이번에는 **걸음걸이에 대한 말**을 찾아보았다.

◆ 가재걸음: 뒷걸음질하는 걸음

◆ 갈지자걸음: ①발을 좌우로 내디디며 의젓한 척 걷는 걸음 ②몸이 좌우로 쓰러질 듯 비틀대며 걷는 걸음

◆ 무릎걸음: 다리를 굽혀 무릎을 꿇고 걷는 걸음

◆ 발끝걸음: 발끝만을 땅에 디디며 가만가만히 걷는 걸음

◆ 안짱걸음: 두 발끝을 안쪽을 향해 들여 모아 걷는 걸음

◆ 잰걸음: 보폭이 짧고 빠른 걸음

◆ 종종걸음: 발을 가까이 자주 떼며 급히 걷는 걸음
　　　= 동동걸음

◆ 자걸음: 발끝을 바깥쪽으로 벌려, 거드름을 피우며 느리게 걷는 걸음

◆ 배착걸음: 다리에 힘이 없어 쓰러질 것 같이 걷는 걸음

두런두런 궁시렁궁시렁

1) 자장자장 우리 애기 꼬꼬닭아 울지 마라 멍멍개야 짖지 마라. 아이들을 재울 때 부르던 자장가입니다. 노래를 부르면, 갓난아이는 두 팔을 머리 위로 벌리고 잠을 잡니다.

이보다 더 평화로운 잠은 없습니다. 이것을 '나비잠'이라고 합니다.

2) 지금은 잘 먹지 않지만 예전에는 한 여름에 미숫가루에 물을 타서 마셨습니다. 시원한 물을 떠다 마시면 더 고소하고 맛있습니다. 이 물은 미숫가루물이라고 하지 않고 '미수'라고 합니다.

3) 사람들은 열쇠나 중요한 물건 같은 것들을 정말 잘 둔다고 둡니다. 그렇지만 정작 필요해서 찾으면 잘 둔다고 둔 물건은 더욱 찾기 어렵지요. 우리말로 사람이나 짐승, 물건 따위를 뒤져내는 일이 '뒤짐질'입니다.

15. 창과 문에 대한 말

강원도 정선군 동면 몰운리에 사시는 송매옥 윤명수 부부의 정선아라리를 듣는다. 눈비야 오너라 눈비야 오너라. 오셨던 낭군이 못 가도록 눈비야 푹푹 오너라. 노처녀가 지은 노래가 아닐까 궁금해진다. 눈이 그렇게 많이 오는 데야 자동차도 가기 어렵지 않은가. 누구도 부를 수 있는 쉬운 가락이지만 한스러운 곡조에 담긴 내용이 내 일처럼 애틋하고 주변의 일처럼 가슴이 짠하다.

정선아라리를 지은 사람은 어떤 사람들일까. 노총각 노처녀는 기본이고, 오일장 가는 할아버지, 메밀묵 만드는 사람, 소박맞아 친정으로 가는 여자, 시어머니하고 밭을 매다가 얻어맞은 며느리 등 민초들로 세파를 벗어나기 어려운 사람들이다.

눈깔이 사탕은 입에다 물면은 세(혀)밑이 살살 녹구요 참나무 장작에 매를 맞으면 눈알이 팽팽 돌아요. …호박은 늙으면 단맛이나 나지. 사람은 늙어만 진다면 단맛도 없네. 아라리를 듣다 보니 힘들고 어려운 요즘 세태가 떠오른다. 자본주의가 뭔지도 모르고, 경제발전만 하면 다 잘 살고 행복할 것 같았는데. 그간 우리가 꿈꾼 것은 허상이었나. 자식들 공부시키면 잘살 것 같아 죽을힘 다해 학교 보냈는데, 취업난에 허덕이는 청년들에게 이 땅은 헬조선이라 불린다. 예나 지금이나 유토피아는 우리 머릿속에나 있는가 보다. 비바람을 맞고 거리를 떠도는 사람들이 부르는 노랫소리가 아라리처럼 들린다.

이번에는 **창과 문에 대한 말**을 찾아보았다.

◆ 들창: 들어서 여는 창. 벽의 위쪽에 자그맣게 만든 창.

◆ 바라지: ① 방에 햇빛을 들게 하려고 벽 위쪽에 낸 작은 창 ② 누각 따위의 벽 위쪽에 바라보기 좋게 뚫은 창

◆ 불창: 석등의 불을 켜 놓은 부분에 뚫은 창

◆ 널빈지: 한 짝씩 끼웠다 떼었다 할 수 있게 만든 문 = 빈지

◆ 다락장지: 방과 다락 사이에 달린 미닫이문

◆ 장판문: 문틀에 널빤지를 붙여서 만든 문

◆ 새김문: 넓은 널빤지의 표면을 도려내어 무늬를 새기고 반대쪽에는 창호지를 바른 문. 조각문

두런두런 궁시렁궁시렁

1) 예전 아이들은 아궁이 앞에서 불을 때며 책도 읽고,

노래도 불렀습니다. '밑불'은 처음 불을 피울 때 불씨가 되는, 본래 살아 있는 불입니다. 또 불이 이글이글하게 핀 숯덩이는 '불잉걸'입니다. 여기에 석쇠를 놓고 갈치를 구워 먹기도 했습니다.

2) 텔레비전 드라마에서, 결정적인 순간에 회장님이 악, 하는 비명과 함께 뒷목을 잡고 쓰러지는데 '뒷목'은 방언이고 '목덜미'가 표준어입니다. 거기 제비초리가 자라면 보기 싫은데 이발할 때 면도를 잘 해야 깔끔합니다.

3) 아이들에게 자, 아빠다리로 앉으세요, 라고 자주 말하는데 아빠다리나 양반다리가 아니고 '책상다리'입니다. 한쪽 다리는 오그리고 다른 쪽 다리는 그 위에 포개어 얹고 앉은 자세입니다. 스님들 수도할 때 앉는 자세는 '가부좌'입니다.

16. 소나무에 대한 말

우리는 제대로 보는 일도 못 한다. 현실을 보는 것이 아니라 환상을 본다. 사실을 보는 것이 아니라 꿈을 본다. 그녀가 공주라고 생각해서 찬미한 것은 본인인데 깨고 나서 누가 거짓말했다고 생각한다. 하잘것없는 허풍쟁이 정치인을 믿을 만하다고 찍어 준 것은 자신인데 다른 사람을 비난한다. 그는 누구인가. 갖가지 색안경을 쓰고 사람들을 본다. 자신을 살피고 꿰뚫어 보지 못하고 사는 사람이다. 깨달은 극소수 사람을 제외하면, 그는 자신이 이기적이고 거칠다는 것을 모른다. 다른 사람에게 상처 주기를 좋아하지만, 정작 자신은 상처받기를 원하지 않는다는 것, 그것도 모른다. 바로 우리들 이야기다. 안소니 드 멜로라는 신부님이 지은 '깨어나십시오'라는 책은 한마디로 놀랍다. 틀에 박힌 사고에서 벗어나 세상과 사람들에 대한 실상을 깨우쳐 준다.

이야기를 더 들어보자. '여러분은 지금 가진 것보다 더 나은 것을 희망하고 있나요? 그것도 하나의 욕심이랍니다. 왜냐하면 바로 지금 무언가를 가지고 있다는 사실을 잊고 있으니까요. 미래의 좋은 것을 희망하는 대신 왜 지금을 소중히 여기지 않습니까? 미래란 그저 또 다른 덫이 아닌지요?' 고개가 갸웃거려진다.

법정 스님의 말씀이 퍼뜩 떠오른다. 즉시현금 갱무시절(卽時現金 更無時節). 바로 지금이지 시절은 없다는 말. 한 번 지나가 버린 과거를 가지고 되씹거나 아직도 오지 않는 미래에 기대를 두지 말고, 바로 지금 여기에서 최대한으로 살라는 이 법문을 대할 때마다 눈이 번쩍 뜨인다.

이번에는 **소나무에 대한 말**을 찾아보았다.

- ◆ 다복솔: 가지가 탐스럽고 소복하게 퍼진 소나무
- ◆ 도래솔: 무덤가에 삥 둘러선 소나무
- ◆ 송홧가루: 소나무의 꽃가루
- ◆ 보드기: 크게 자라지 못하고 마디가 많은 어린 소나무
- ◆ 솔가지: 땔감으로 쓰려고 꺾어 말린 소나무 가지
- ◆ 솔수펑이: 솔숲이 있는 곳.
- ◆ 잔솔: 어린 소나무
- ◆ 솔가리: 말라서 떨어진 솔잎
- ◆ 송기: 소나무의 속껍질
- ◆ 송진: 소나무, 잣나무의 끈적끈적한 액체
- ◆ 송화주: 소나무의 꽃을 줄거리째로 넣어서 빚은 술

두런두런 궁시렁궁시렁

1) 텔레비전 백년손님에 나오는 마라도 해녀, 박순자 씨가 바다에 들어갈 때 쓰는 것은 '테왁'입니다. 전에는 속을 파내고 말린 큰 박을 썼는데, 물 위에 뜨게 하거나 '망사리'를 고정시켜 줍니다. '망사리'는 해물을 담아두는 그물로 된 그릇입니다.

2) 손톱이 박힌 자리 주변에 살갗이 일어난 것은 '손가시'나 '손까시랭이'가 아니라 '손거스러미'입니다. 무심코 잡아 뜯다가 상처 나고 고름 나면 '생인손'으로 고생할 수도 있습니다. 손톱깎이로 깨끗이 잘라내야 합니다.

3) 흔히 쓰리고, 아프고, 미어진다고 하거나 주먹으로 치고, 가슴을 쥐어뜯고, 떠다박지르고 하는 데는 '앙가슴'이라고 합니다. 두 젖 사이의 가운데가 '앙가슴'입니다. 비슷한 말은 '가슴골'입니다.

17. 쇠고기·돼지고기에 대한 말

　경제가 성장하던 시기에는 공부로 덕을 본 사람들이 많았다. 그들은 중산층 이상으로 성장해 나름의 기득권과 부를 누리며 그것이 다 공부 덕택이었다고 착각했다. 공부만 잘하면 뭐든 한다니까. 그래서 자식에게 부를 대물림하기 위해 과도할 만큼 공부에 투자했다. 이것이 사교육을 조장하며, 학생들을 경쟁으로 내몰고, 학교는 공부 지옥이 되었다. 그러나 공부만 잘하면 만사 해결이던 시대는 지났다. 고학력자 양산 비율에 비하면 일자리 증가율은 도저히 따를 수가 없는 시대가 되었다. 사람들도 과거처럼 성공하기 위해서가 아니라 정규직 정도로 살기 위해 공부에 매달리고 있다. <공부중독>의 저자들은 한국 사회는 생각의 전환과 새로운 라이프 스타일이 필요하다고 말한다. 애초 공부란 이런 것이 아니었다. 고전학자 고미숙에 의하면 공부는 쿵푸다. 앎에 대한 열정으로 몸을 단련하고 일상을 바꿔 나가는 사람은 바로 호모 쿵푸스. 공부란 눈앞의 실리를 따라가는 것과는 정반대의 벡터를 지닌다. 오히려 그런 것들과 과감히 결별하고, 삶과 우주에 대한 원대한 비전을 탐구하는 것. 공부는 무엇보다 자유의 도정이어야 한다. 자본과 권력, 나아가 습속의 굴레로부터 벗어나 삶의 새로운 가능성을 탐색해야 비로소 공부했다고 말할 수 있다.

이번에는 **쇠고기·돼지고기에 대한 말**을 찾아보았다.

- ◆ 갈매기살: 돼지의 가로막 부위에 있는 살 ≒ 안창고기
- ◆ 개씹머리: 소의 양(밥통)에 붙은 고기의 하나
- ◆ 곤자소니: 소의 창자 끝에 달린 기름기가 많은 부분.
- ◆ 달기살: 소의 다리 안쪽에 붙은 고기
- ◆ 사태: 소의 오금에 붙은 살덩이.
- ◆ 멱미레: 소의 턱 밑 고기
- ◆ 양지머리: 소의 가슴에 붙은 뼈와 살을 통틀어 이르는 말.
- ◆ 항정: 쇠고기의 양지머리 위에 붙은 고기, 돼지나 개 따위의 목덜미
- ◆ 홍두깨: 소의 볼기에 붙은 살코기

두런두런 궁시렁궁시렁

1) 생각난다 그 오솔길 그대가 만들어 준 꽃반지 끼고 은희의 노래가 생각납니다. 원래는 잎이 셋인데 네 잎짜리

는 행운을 가져다준다고 하여 앞다투어 찾아다가 책갈피에 고이 간직했던 풀은 '클로버'라고도 하지만 우리말로 '토끼풀'입니다. 초여름에 하얀 풀꽃이 피면 아이들은 이것으로 꽃반지나 손목시계를 만들며 놀았습니다.

2) 전에는 강아지를 '오요요'하며 부르기도 했는데, '버들강아지'를 '오요강아지'라고도 불렀습니다. '버들강아지'는 주로 갯버들의 꽃망울을 가리키며, 수양버들의 흰 솜털은 주로 '버들개지'라고 합니다.

3) 요즘 말하는 서커스 공연. 전에 남사당패 광대들이 돌리던 접시돌리기는 '버나'라고 합니다. 사발이나 대접 따위를 막대기로 돌리는 묘기입니다.

18. 귀에 대한 말

다루마리는 희한한 빵집이다. 주4일 영업하고 수요일은 재료를 준비하고 직원들은 주5일제 근무. 연중 한 달은 장기 휴가다. 사장님은 시골 빵집에서 자본론을 굽다,를 쓴 와타나베 이타루. 사람을 값싸게 부리기 위한 불완전한 음식이 넘쳐나는 자본주의 시대에 진정한 빵을 만들며 소리 없는 경제혁명을 일으키고 있는 사람이다. 회사에 다니던 그는 갖가지 부정을 저지르는 것을 보고 염증을 느껴 삶의 진정성을 갈구하게 되었다. 균을 연구하셨던 할아버지, 마르크스를 탐닉하셨던 아버지의 역량을 물려받은 그는 돈의 부자연성과 자본주의의 모순을 마르크스 자본론과 천연균에 비유해서 하나씩 풀어간다. 시간의 흐름과 함께 모든 것이 흙으로 돌아가는 것이 자연의 섭리인데 그 자연스러움에서 벗어난 것이 돈이며 부패와 순환이 일어나지 않는 돈이 자본주의의 모순을 낳았다고 말한다. 그가 자가제분한 밀가루와 천연균으로 만든 빵은 일반 빵보다 비싸지만 가게는 여전히 성업 중이다. 가게는 일하는 날을 늘리거나 가격을 낮춰 이윤을 남길 수도 있지만 그렇게 하지 않는다. 대신 그는 빵 속에 수많은 생각을 담는다. 서른 넘어서까지 빌빌거리다

취직했던 농약회사도 때려치운 그가 삶의 본질을 찾고, 노동과 삶이 하나 된 인생을 살고 싶어 빵이라는 무기를 든 이야기다.

이번에는 **귀에 대한 말**을 찾아보았다.

- 가는귀: 작은 소리를 듣지 못하는 귀
- 가운데귀: 귀청의 속 = 중이
- 속귀: 가운데귀의 안쪽에 단단한 뼈로 둘러싸여 있는 부분 = 내이
- 잠귀: 잠결에 소리를 들을 수 있는 감각
- 귀머리: 앞이마의 머리를 귀 뒤로 넘긴 머리. 또는 귀 밑에 난 머리
- 귀썰미: 한 번 들어도 잊지 않는 재주
- 귀퉁이: 귀의 언저리
- 귓결: 우연하게 듣게 된 겨를
- 귓등: 귓바퀴의 바깥쪽 부분
- 귓바퀴: 겉귀의 드러난 가장자리 부분
- 귓불: 귓바퀴의 아래쪽에 붙어 있는 살

두런두런 궁시렁궁시렁

1) 예전에는 먹을 게 없을 때 콩밭 가에 모닥불을 지펴 놓고 얼굴에 숯검댕을 묻히며 정신없이 콩을 구워 먹었습니다. 완전히 여물지 않은 콩을 콩깍지째 불에 굽거나 찐 것을 '콩부대기'라고 합니다. 솥뚜껑을 뒤집어 놓고 콩을 볶아 먹은 것은 '콩볶은이'라고 합니다. 질금콩은 콩나물 만드는 콩을 이릅니다. (질금은 콩나물의 방언)

2) 시집간 누이가 죽었다고 해서 누이의 남편과 결혼해서 사는 여자가 나와 아무것도 아니라는 것은 말이 안 됩니다. 예부터 그런 처지에 있는 여자는 '움누이'라고 했습니다. 죽은 딸의 남편과 결혼한 여자는 '움딸'입니다.

3) 한동안 집은 투자의 대상이었지만, 이제는 자기 것이 아니어도 수리하고 꾸미며 편안함을 찾는 쪽으로 바뀌고 있습니다. 조상들이 지었던 집, 큰 나무로 우물 정(井)자 형의 틀을 갖춘 후 이끼나 흙 등으로 틈새를 메운 집은 '귀틀집'입니다.

19. 쇠고기·돼지고기에 대한 말 2

지나간 개그 콘서트 <어르신 코너>를 보고 있다. 돈 많이 벌면 뭐 하겠노, 기분 좋다고 소고기 사 먹겠지. …소고기 먹으면 뭐하겠노 살쪘다고 다이어트 하겠지. 대사가 쇠고기에 대해 많은 것을 말해 준다. 대부분의 나라에서 쇠고기 소비는 부와 지위를 드러내 주는 특권의 하나이다. 유럽, 미국, 일본을 거쳐 경제가 성장한 한국도 이 쇠고기 클럽에 가입했다. 지금처럼 쇠고기에 대한 탐식이 심해진 것은 영국인 덕분이라고 할 수 있다. 그들은 사냥, 동물학살, 화려한 고기만찬 등의 켈트족 전통에 따라 고기를 맘껏 먹는 사람들이 더 용감하다고 생각했다. 이런 집착은 근대 초기 계몽주의와 더불어 본격적으로 드러났는데, 쇠고기 수요가 증가하면서 식민지 개척에 열을 올리던 영국 정부는 새 목초지를 찾아 나섰다. 스코틀랜드, 아일랜드, 북아메리카 평원, 아르헨티나 팜파스, 오스트레일리아 오지, 뉴질랜드 초원 등에 목초지가 만들어졌다. 소(육우)를 기르기 위해 버펄로와 인디언을 몰아냈고, 소작농은 차츰 설 곳을 잃었다. 그런가 하면 19세기 초, 지방이 많은 쇠고기를 즐기는 영국인 기호에 맞춰 소에게 곡물 사료를 먹이게 되었다. 이로 인해 전체 곡물의 3분의 1을 육우나 다른 가축이 먹어 치우고, 세계 인구 13억 명은 기아나 영양실조에 시달리는, 안타깝고 불가사의한 일이 일어났다. 늦었지만 우리는 곡물이 풍부한 차돌박이나 마블링 쇠고기를 먹을 때마다, 비만이나 질병뿐 아니라 환경파괴, 사회 정의와 평등의 문제를 떠올려야 한다. 소고기 마이 묵으면 뭐하겠노? 돈 마이 벌고 안 벌고 그기 아무것도 아인기라.

이번에는 **쇠고기·돼지고기에 대한 말**을 찾아보았다.

- ◆ 안심: 소의 갈비 안쪽 채끝에 붙은 연하고 부드러운 살
- ◆ 채끝: 소의 등심 부분의 방아살 아래에 붙은 고기
- ◆ 제비추리: 소의 안심에 붙은 고기
- ◆ 차돌박이: 소의 양지머리뼈의 한복판에 붙은 기름진 고기
- ◆ 쥐머리: 편육을 만드는 데 쓰는, 갈비에 붙은 쇠고기의 하나
- ◆ 토시살: 소의 지라와 이자에 붙은 고기
- ◆ 미절: 주로 국거리로 쓰는 허섭스레기 쇠고기

두런두런 궁시렁궁시렁

1) 전에는 어머니들이 손수 누룩이나 메주를 만들었는데, 누룩이나 메주 따위를 디뎌 만들 때 쓰는, 쳇바퀴나 밑이 없는 모말처럼 생긴 나무틀은 '고지'라고 합니다. 아이들은 무른 메주를 밟으며 놀았는데, 메주만 찍어 내면 '메줏말'입니다.

2) 급격한 운동이나 힘든 노동으로 종아리 근육이 딴딴하고 둥글게 된 것은 '알'이라고 하여, '종아리에 알이 뱄다'고 합니다. 그러나 허벅지에는 알이 배는 것이 아니라 허벅지 윗부분 즉 림프절이 부어 멍울이 생기는데 이를 '가래톳'이라고 하고, '가래톳이 섰다'고 합니다. 직접 만져보면 압니다.

3) 감을 따는데 쓰는, 끝이 두 갈래로 갈라진 장대는 '전짓대'라고 합니다. 옛날 아이들에게 억지로 약을 먹일 때 입에 물리던 '전지'에서 비롯된 말입니다.

20. 밥에 대한 말

길가 밭에 토마토가 붉게 익어가고 있다. 그 옆에 파라솔을 치고 평상에 앉은 아낙과 노파는 막 딴 토마토를 플라스틱 바구니에 담아 놓았다. 차에서 내려 토마토를 사고 한 입 베어 문다. 이런, 토마토 맛이 예전 같지 않아. 자동차 매연이나 공해로 인해 나빠진 환경 탓일까. 비료와 농약으로 지은 농사이기 때문일까.

생명 농업의 선구자, 농부 철학자 피에르 라비에 의하면 오랜 세월 우리 땅과 기후에 적응한 종자들이 사라지고 있기 때문이다. 왜 이런 일이 벌어질까? 그것은 다국적 대기업이 소유한 제조업체들의 종자 침략 때문이다. 한번 사라진 토종 종자들은 회생시킬 방법이 없다. 경제와 발전이라는 이름 아래 소리 없이 행해지는 일들이다. 수익성만을 위해 다양하지 않은 종자를 만들어 파는데 급급한 기업들. 그들이 업체에서 교배시켜 만든 종자들은 노새처럼 번식 능력이 없어 해마다 새로 사서 심어야 한다. 그러니 그해에 씨를 받아두었다가 이듬해에 심어도 결과가 없을 수밖에 없다. 또 허약해 비료와 살충제를 사용해야만 하는 것들이다. 그 결과 재래종은 매우 빠른 속도로 사라져 버렸다. 자신이 사는 환경에 잘 적응한 재래종은 병에 훨씬 덜 걸려 비료나 농약이 많이 필요하지 않았는데. 이제는 맛도 좋고 건강한 토마토를 찾아보기 어려워졌다. 예전에 먹었던 그 맛이 고향처럼 그리워진다.

이번에는 **밥에 대한 말**을 찾아보았다.

◆ 새참: 일을 하다가 잠깐 쉬면서 먹는 음식

   = 샛요기, 중참

◆ 생반(生飯): 밥을 먹기 전에 아귀, 또는 새와 들짐승 따위에게 주기 위하여 조금씩 떠내는 밥

◆ 대궁: 먹다가 그릇에 남긴 밥

◆ 소나기밥: 보통 때에는 얼마 먹지 않다가 갑자기 많이 먹는 밥

◆ 물눌은밥: 숭늉 속에 들어 있는 눌은밥

◆ 쥐코밥상: 밥 한 그릇과 반찬 한두 가지만으로 간단히 차린 밥상

◆ 지에밥: 찹쌀이나 멥쌀을 물에 불려서 시루에 찐 밥

◆ 눈칫밥: 남의 눈치를 보아 가며 얻어먹는 밥

두런두런 궁시렁궁시렁

1)지금은 누에 키우는 농가가 거의 없지만, 전에는 많이 키웠습니다. 누에 먹을 뽕도 손수 땄습니다. 누에가 사는 집은 누에집이 아니라 '고치', 또는 '누에고치'입니다. 병아리가 사는 집은 병아리집이 아니라 '어리', 닭이 사는 집은 '둥우리' 또는 '닭장', 소나 말이 사는 집은 '외양간'입니다. 금붕어가 사는 집은 '어항'입니다.

2) 창란젓이 아니라 '창난젓'입니다. 명란젓이야 명태의 알, 명란(明卵)이니까 당연하지만, 창란이 될 수는 없습니다. 명태의 창자가 곧 우리말 '창난'입니다. 그래서 '창난젓'입니다.

3) 어떤 지점을 밝히지 않고 '지구의 반대편'이라고 하면 그 반대편은 이 지구의 어디에도 없습니다. '우리나라의 반대편' 또는 '대척점'이라고 해야 합니다.

21. 길·다리에 대한 말

시간을 되돌리는 일은 현실에서는 불가능하다. 그래서 누구나 한 번씩 하는 말이 '내가 십 년만 젊었더라면'이라는 말. 지금과는 전혀 다른 삶을 살게 되었으리라는 뜻이다. 어바웃 타임이라는 영화를 보며 시간에 대해 생각해 본다. 우리의 삶은 늘 즐겁거나 행복하지 않고, 완전하지 않다. 만족스러운 순간보다 실수와 잘못이 떠오르고 회한이 밀려오기도 한다. 어바웃 타임은 시간을 거슬러 가서 실수나 잘못을 바룰 수 있는 기회를 제공해 준다. 사랑하는 여자를 위해 시간을 되돌리고, 연극작가 해리를 위해 주연 배우의 실수를 막아주기도 한다. 이쯤 되면 타임머신을 탄 주인공 같기도 하다. 그러나 여동생의 교통사고와 아이가 뒤바뀐 것을 보며, 누구든 자신들의 운명을 스스로 감당해야 함을 깨닫게 된다. 이 영화를 본 후 어쩌다 즐겁고, 오랜 시간 무감각하고, 힘들고 고통스러워 탈출하고 싶은 현재의 삶에 대해 생각해 보게 된다. '인생은 모두가 함께하는 여행이다. 매일 매일 사는 동안 우리가 할 수 있는 건 최선을 다해 이 멋진 여행을 만끽하는 것이다.' 이런 대사들이 생각나지만 영화는 영화일 뿐이다. 십 년 전으로 돌아가도 달라질 것이 없을 것 같다. 아니 견딜 수 없이 고통스러워질 것 같다. 별로 달라질 것이 없는 인생이기 때문이기도 하고, 이미 알고 있는 삶에 무슨 기대와 희망, 아쉬움과 회한이 있을 것인가. 오히려 삶의 유한함을 깨닫게 되면 순간도 소중해진다. 니체의 말처럼 삶을 다시 살고 싶다는 확신이 들 정도로 이 순간을 사는 것뿐이다.

이번에는 **길·다리에 대한 말**을 찾아보았다.

- ◆ 고샅: 시골 마을의 좁은 골목길, 또는 골목 사이
- ◆ 구름다리: 도로나 계곡 따위를 건너질러 공중에 걸쳐 놓은 다리
- ◆ 굴다리: 길이 교차하는 곳에서, 밑에 굴을 만들고 위로 다닐 수 있게 만든 다리
- ◆ 길섶: 길의 가장자리
- ◆ 노루목: 넓은 곳에서 다른 곳으로 이어지는 좁은 지역
- ◆ 뒤안길: 늘어선 집들의 뒤쪽으로 나 있는 길
- ◆ 벼룻길: 아래가 강가나 바닷가로 통하는 벼랑길
- ◆ 복찻다리: 큰길을 가로질러 흐르는 작은 개천에 놓은 다리

두런두런 궁시렁궁시렁

1) 양식이 다 떨어진 '보릿고개'를 넘기 위해 조상들은 '풋바심'을 했습니다. 채 익기 전의 벼나 보리를 지레 베어 떠는 것이 '풋바심'입니다. 풋바심한 보리는 가마솥에 쪄서 말리고, 또 절구질을 하는데 싸라기만 겨우 한 줌 나오는 게 보통이었습니다.

2) '짱깨'는 '자장면'을 속되게 이르는 말입니다. 그래서 흔히 자장면을 시킬 때 '짱깨나 시켜 먹자, 짱깨집에 시키자'고들 합니다. 그러나 '짱꼴라'는 일제 강점기에, 중국인을 낮잡는 뜻으로 쓰던 말입니다.

3) 눈이 쑥 들어가고 생기가 없을 때는 '떼꾼하다'고 합니다. '앓고 났더니 눈이 떼꾼하다'고 합니다. 그러나 몸빛이 마르고 낯빛이나 살색이 핏기가 전혀 없을 때는 '파리하다'고 합니다.

22. 부엌용품에 대한 말

12세 아이의 입에서 죽고 싶다는 말이 거리낌 없이 나온다. 사는 게 의미가 없어요. 숙제를 할 때면 언제나 시간이 모자라요. 이유 없이 슬프고 아무 의욕이 없는 아이들. <번아웃 키즈> 서평을 읽다 보니 등장하는 말이다. 이른바 번아웃(소진) 증후군. 어른들에게서만 일어나는 줄 알았더니. 아이들에게 옮겨간 것인가. 한국전쟁 이후 오로지 성공과 부만 좇아 달려온 사회는 빈부 격차가 심해진 물신숭배의 지옥. 그래서 가난을 대물림하지 않으려다 보니, 내 아이만의 출세와 성공이 중요하게 되었다.

우정보다 경쟁이 우선이니 아이들은 즐겁게 놀지 못하고, 늘 패배하는 것이 두려울밖에. 어디에도 마음 붙일 곳 없는 우리 아이들이 당도한 곳이 여기 번아웃 지대인가. 그럼 어른들에게는 살기 좋은 세상인가. 아니다. 용이 되기 위해 각개약진의 비장함과 처절함으로 전쟁 같은 삶을 산다. 조기 은퇴 후에도 쉴 수 없고, 독립이나 결혼을 포기하는 청년들은 늘고 있다. 아이 때처럼 장난감을 가지고 노는 어른들도 있다. 얼마나 힘든지 헬 조선, 힐링이라는 말이 유행어가 되었다.

책 소개에 나오는 표현처럼 자녀는 부모의 증상이며 아이들의 병리는 그 사회의 그림자. 아이들은 우리의 템포가 너무 빠르다는 것을, 너무 과열되었다는 것을 알려주는 온도계. 아이들에게 여백을, 자기 시간을 충분히 허하라. 열심히 하라는 말은 금하고.

이번에는 **부엌용품에 대한 말**을 찾아보았다.

- 두멍: 물을 많이 담아 두고 쓰는 큰 가마나 독
- 그릇박: 그릇을 씻어 담는 함지박
- 겅그레: 솥에 무엇을 찔 때, 찌는 것이 솥 안의 물에 잠기지 않도록 받침으로 놓는 물건
- 두리함지박: 둥근 함지박
- 어레미: 바닥의 구멍이 굵은 체
- 노구솥: 놋쇠나 구리쇠로 만든 작은 솥
- 밤송이솔: 그릇을 씻는 데 쓰는 밤송이 모양의 솔
- 부삽: 재를 치거나 불을 옮기는 데 쓰는 물건
- 석자: 철사 그물로 엮어 튀김 따위를 건져 낼 때 쓰는 기구

두런두런 궁시렁궁시렁

1) 당신에게서 꽃내음이 나네요. 잠자는 나를 깨우고 가네요. 싱그런 잎사귀 돋아난 가시처럼 어쩌면 당신은 장미를 닮았네요. '4월과 5월'의 '장미'라는 노래를 듣고 있습니다. '내음'이라는 말은 '냄새'라는 말보다 더 향기가 나는 말 같지만, '내음'이나 '내음새'는 '냄새'의 방언입니다. 그렇다고 꽃냄새라고 하기는 좀 그렇습니다.

2) 갓난아기한테서는 '배냇냄새'가 나고, 술이 괴기 시작할 때나 술 마신 사람한테서는 '술내'가 나고, 간장, 된장, 고추장이나 김치 같은 것이 어떤 일로 제 본연의 맛이 변하면 '군내'가 납니다.

3) 매일 일을 하는 일꾼이나, 이마가 절절 끓는 열병을 앓는 사람의 코에서는 '단내'가 나고, 며칠 동안 갈아 신지 않은 양말에서는 '고린내'가 납니다.

23. 부엌용품에 대한 말 2

우리가 영어를 못해서 외국인들이 투자하지 않고, 국가 경쟁력이 떨어지는가? 미국의 렉사일 지수를 이용해 수능 영어 지문과 영어 교과서 수준을 분석한 서울대 영어교육과 이병민 교수는, 당신의 영어는 왜 실패하는가, 라는 책에서 새빨간 거짓말이라고 말한다. 그렇다면 영어가 공용어인 아프리카의 짐바브웨, 우간다에는 왜 아무도 투자하지 않는가, 라고 되묻는다.

수능이나 취업에서 요구하는 영어 기준은, 대중일간지 USA 투데이나 원어민과 비슷한 수준이며, 학교 교육만으로 도달하기 어려운 수준이라고도 말한다. 도대체 왜 우리 사회는 학생들에게 이렇게 높은 영어 수준을 요구하는 걸까.

한국은 태생적으로 하나의 언어밖에 사용하지 않는 나라. 입학시험이나 취업, 승진 때를 제외하고는 1년에 영어를 한 시간도 써볼 기회가 없는 땅이다. 오죽하면 대기업에 입사해서 쓰는 영어가 고작 A4라는 한 단어다, 라는 말이 있겠는가. 이 '영어 광풍'은 어디서 왔을까? 우리 사회 내부의 특별한 영어 이데올로기에 의해서 형성된 것이다. 근거 없는 부풀리기, 불안, 상급학교 진학 열기, 영어교육의 상업화

등으로 촉발된 것. 녹색평론 김종철 님의 말처럼, 미국에 기대지 않으면 살길이 없다고 생각한 우리나라 주류 기득권층 주장이었을까. 부의 세습을 위한 사다리 걷어차기의 한 방편이었을까. 그래도 꼭 필요한 사람만 그 수준의 영어를 배우는 것이 현명하지 않을까.

이번에는 **부엌용품에 대한 말**을 찾아보았다.

- 가맛바가지: 쇠죽을 푸는 데 쓰는, 자루가 달린 큰 바가지
- 부삽: 재를 치거나 불을 옮기는 데 쓰는 물건
- 구기: 술이나 기름, 죽 따위를 푸는 데에 쓴 기구
- 딴솥: 불을 때는 방고래와 상관없이 따로 걸어 놓고 쓰는 솥
- 박쌈: 남의 집에 보내려고 음식을 담고 보자기로 싼 함지박
- 석쇠: 고기나 굳은 떡을 굽는 기구
- 부집게: 숯불을 집거나 불똥을 따는 데에 쓰는 집게 ≒ 불집게
- 소댕: 솥을 덮는 쇠뚜껑
- 용가마: 아주 큰 가마솥

두런두런 궁시렁궁시렁

1) 임과 이별하고 자리에 누우면 하염없이 눈물이 납니다. 이때 '베갯잇'이 흠뻑 젖습니다. '베갯잇'은 베개의 겉을 덧싸는 천입니다. (발음은 '베갠닏') 어쩌면 '베갯모'까지 젖을지도 모릅니다. 베개의 양쪽 마구리에 대는 꾸밈새가 '베갯모'입니다. '베갯머리'는 베개를 베고 누웠을 때 머리가 향한 위쪽의 가까운 곳입니다.

2) '티'는 조그마한 흠이고, '티눈'은 손이나 발에 생기는 사마귀 비슷한 굳은살입니다. 티는 눈에 거슬리고 티눈은 신경에 거슬립니다.

3) 부모나 사랑하는 사람과 죽어서 이별하다, 또는 멀리 떠나보낸다는 뜻의 '여의다'는 딸을 시집보내다, 는 뜻도 있습니다. 옛날에는 딸을 시집보내는 것은 '멀리 떠나보내는 일'이었습니다.

24. 막대·장대에 대한 말

생각할수록 그립고 반갑습니다. 서로의 존재를 확인하는 소중한 시간이 되시기를 바라면서. 고등학교 졸업 30주년을 기념하는 모임 단체 카톡이다. 기금을 모아 모교를 후원하고, 재학생에게 장학금을 주기 위한 기금 모금도 한다는 내용이다. 벌써 이렇게 되었던가. 친구들 면면을 보니 나름 출세한 용 같은 친구들도 있고, 나처럼 그렇지 못한 친구들도 있다. 세무서장, 재무설계 사무소 박사님, 공무원, SNS 부사장, 보험회사팀장, 한의사, 의대 교수, 인문학 강의 연구원, 미국 유명 대학 교수. 그들은 이 사회에 잘 적응하고, 선생님들이나 부모님이 기대하는 길로 간 듯하다. 그런가 하면 무속인이 되어 도령으로 불리는 친구도 있고, 작고한 친구도 몇 있다. 출세한 친구들에 나도 모르게 기가 죽어 있는데, 내세울 것 없거나 신상을 알리고 싶지 않은 많은 친구가 서둘러 단체톡방을 나간다.

학창 시절이 생각난다. 가난한 문학청년인 내게 청춘은 아름답지 않았다. 극단적인 생각을 수시로 할 정도로 우울하고 힘든 시기를 보냈다. 우리는 어떤 마음으로 학교에 다녔던가. 이반 일리히 말처럼 학교는 자율적인 배움에 장애가 되고, 고른 기회를 주는 듯하지만 소수의 승자가 상위 계급으로 가는 방편이 될 뿐이며, 다수는 들러리 서며, 빈부 격차를 늘리는 역할을 한다고 생각지 못했다. 열심히 공부해 좋은 학교에 가면, 그것이 성공이며 ― 나를 포함한 주위 사람들, 사회, 국가에 좋을 것으로, 어리석게 생각했다.

이번에는 **막대·장대에 대한 말**을 찾아보았다.

◆ 간짓대: 대나무로 된 장대
◆ 국수방망이: 국수 만드는, 반죽을 얇게 밀 때 쓰는 방망이 ≒ 밀방망이
◆ 들장대: 가마 메는 사람들이 쉬기 위하여 가마를 세워 놓을 때 양옆에서 가마채 밑을 받쳐 들어주는 장대
◆ 몽치: 짤막하고 단단한 몽둥이
◆ 울대: 울타리를 만드는 데 세우는 기둥 같은 대나무
◆ 주릿대: 주리를 트는 데에 쓰는 두 개의 긴 막대기
◆ 전짓대: 감을 따는 데 쓰는, 끝이 두 갈래로 갈라진 대나무 장대

두런두런 궁시렁궁시렁

1) '개떡같이 말해도 찰떡같이 알아듣는다'는 속담이 있습니다. 여기 나오는 개떡은 노깨(밀가루를 곱게 치고 난 찌꺼기)나 나깨(메밀을 갈아 가루를 체에 쳐내고 남은 속껍질), 보릿겨 따위로 아무렇게나 만든 것입니다. 전에 궁핍해서 먹을 것이 없을 때 만들어 먹던 것이니 거칠고 맛도 없었답니다.

2) 길을 가다 보면 양곱창을 파는 곳이 있는데 양과 곱창은 따로 떼어 불러야 합니다. 양은 소의 밥통을 고기로 이르는 말이고, 곱창은 소의 작은창자를 말합니다.

3) 채소가 먹기 힘들 정도로 자랐을 때, '채소가 세어졌다'고 하는데, '채소가 쇠어졌다'가 맞습니다. '채소가 너무 자라서 줄기나 잎이 뻣뻣하고 억세게 되다'가 '쇠다'입니다.

25. 바람에 대한 말

출근길, 차를 몰고 도로라는 정글에 나선다. 운전대를 잡은 사람들이 자동차에 앉은 채 떠다니고 있다. 자가용을 탄 사람도 있고, 승합차나 대형트럭을 모는 사람도 있다. 다들 어디로 가는지 무척 바빠 보인다. 운전형태는 사람 성격처럼 여러 가지다. 조심스럽게 움직이는 사람, 어떤 추월도 허용하지 않는 사람, 수시로 차선을 바꾸며 끼어들기를 반복하는 사람, 영화의 주인공인 양 운전대만 잡으면 도취하여 속도광이 되는 사람 등. 이런 정글에서 목적지까지 무사히 가는 데는 많은 노력과 운이 필요하다. 대형차는 가까이 오는 것만으로도 위협이 되고, 예측이 어려운 교차로나 골목길 사고는 멈추지 않는다. 귀청을 찢는 듯한 클랙슨 소리와 거의 동시에 들리는 '쿵'하는 소리. 차들이 멈추고, 문을 열고 도로에 나서는 사람들. 고성과 함께 끔찍한 욕설이 오간다. 이 상황이 더하면 광기 어린 보복이 이어지기도 한다. 도대체 무슨 일인가.

이런 일들은 마치 운명이 휘두르는 횡포 같다. 지그문트 바우만의 말처럼 우리는 진보와 발전의 끝에 놓인 유토피아를 꿈꾸었지만, 모든 것이 제멋대로 출렁거리는 불확실한 시대에 무방비로 노출된 것일까. 그에 따르면 현 시대는 사냥꾼들의 시대이다. 오로지 사냥감을 죽여 자루를 채우는 데만 관심을 갖는 시대. 삶의 의미는 생각지 못한 채 끝없이 뭔가를 추구하는 사람들. 타인에 대한 배려보다 나만 생각한다. 모두스 비벤디. 위험은 현저하게 제멋대로 떠다니며, 변덕스럽고 어이없다. 예측할 수 없는 횡포 앞에 던져진 사람들. 위험을 막기 위해 우리가 할 수 있는 일은 거의 없다. 희망이 없는 이런 상태를 어찌할까.

이번에는 **바람에 대한 말**을 찾아보았다.

- 꽃샘바람: 이른 봄, 꽃이 필 무렵에 부는 쌀쌀한 바람
- 꽁무니바람: 뒤쪽에서 불어오는 바람
- 명지바람: 보드랍고 화창한 바람 = 명주바람
- 살바람: 좁은 틈으로 새어 들어오는 찬바람. 초봄에 부는 찬바람
- 왜바람: 방향이 없이 이리저리 함부로 부는 바람
        = 왜풍
- 솔솔바람: 부드럽고 가볍게 계속 부는 바람
- 소소리바람: 이른 봄에 살 속으로 스며드는 듯한 차고 매서운 바람

◆ 소슬바람: 가을에, 외롭고 쓸쓸한 느낌을 주며 부는 으스스한 바람

두런두런 궁시렁궁시렁

1) 신라 경문왕 때 복두장이는 죽기 전 도림사 대밭에 들어가 '임금님 귀는 당나귀 귀!'라고 속 시원하게 외쳤습니다. 이때 '소리를 크게 지르거나 속삭여 말할 때 나발 모양처럼 만들어 입에 대는 손'의 뜻으로 쓰이는 말은 손나팔이 아니라 '손나발'입니다. 병을 거꾸로 입에 대고 병째로 들이켜는 것도 '병나발 불다'입니다.

2) 문을 열 때 바퀴 구르는 소리가 나면 도르래가 아니라 '호차(戶車)'입니다. 미닫이가 잘 여닫아지도록 문짝 아래에 홈을 파고 끼우는 작은 쇠바퀴가 '호차'입니다.

3) 겨울이 되면 감을 깎아 곶감을 만듭니다. 맛있는 곶감 안에 든 것은 씨앗이 아니라 '씨'입니다. 식물의 열매 속에 있는, 장차 싹이 터서 새로운 개체가 될 단단한 물질이 '씨'고, 곡식이나 채소 따위의 씨가 '씨앗'입니다.

26. 변변치 못한 사람에 대한 말

차를 몰며 라디오를 듣는다. 이 사람이 사는 세상. 이번
에는 어떤 사람이 나올까 궁금해진다. 20년 동안 세계일주
하는 별난 가족, 김현성 씨. 사람들은 익숙한 것을 정답으로
생각하지만 그는 익숙한 것을 거부하고 낯선 것에 도전한
다. 낯설고 불편해서 즐겁고 의미 있는 인생. 들을수록 궁금
해진다.

그는 어떻게 살아온 것일까. IMF 직후 한국을 떠난 그는
처음에는 멕시코, 그다음 칠레를 거쳐 현재는 독일에서 가
족과 함께 살고 있다. 그의 말에 의하면 매일 매일의 삶은
전쟁과 같다. 그들은 익숙해질 만하면 가방 4개를 들고 새
로운 삶 속으로 쳐들어간다. 낯설고 불편한 삶. 살아내기 위
해서는 닥치는 대로 일을 해야 한다. 새로운 문화, 언어를
배워야 하는 것은 기본이고, 힘들지만 그들은 한국으로 돌
아가 사는 것을 원치 않는다. 이유가 뭘까. 그의 말을 듣는
다. 낯설고 모험 같은 삶은 짜릿합니다. 내가 살아있다는 존
재감을 느낍니다. 안정과 편안함 속에서는 느낄 수 없는. 이
때 생존의 기술은 순간순간을 열심히 사는 것이죠. 한국에
와서 주변 사람들을 보면 다들 걱정이 많아요. 비정규직, 집

값, 학교 등. 아무것도 없는 우리보다 덜 행복해 보여요, 되레 한국 친구들이 샘을 냅니다. 한국은 단국 이래 가장 잘 살지만, 가장 행복하지 않은 듯합니다. 물질적 풍요가 행복을 가져오지 않는다는 것을 증명하기 위해 노마드(유목민)를 선택한 김현성 씨 가족. 그들은 여전히 낯선 곳에서 전쟁 같은 삶을 산다.

이번에는 **변변치 못한 사람에 대한 말**을 찾아보았다.

◆ 발록구니: 하는 일 없이 놀면서 돌아다니는 사람

◆ 무룡태: 능력은 없고 그저 착하기만 한 사람

◆ 앙가발이: 자기 잇속을 위하여 남에게 잘 달라붙는 사람

◆ 억보: 억지가 센 사람을 놀림조로 이르는 말

◆ 총냥이: 여우나 이리처럼 눈이 툭 불거지고 입이 뾰족하며 얼굴이 마른 사람

◆ 흑싸리: 남의 일에 훼방을 잘 놓는 사람을 낮잡아 이르는 말

◆ 지릅뜨기: 눈을 크게 부릅뜨는 버릇이 있는 사람

◆ 넙치눈이: 두 눈동자를 넙치 눈처럼 한군데로 모으기를 좋아하는 사람, 눈을 잘 흘기는 사람을 놀림조로 이르는 말

두런두런 궁시렁궁시렁

1) 멥쌀가루를 막걸리를 조금 섞은 뜨거운 물로 반죽하여 틀에 부풀어 일게 하여 찐 떡이 '증편'입니다. 막걸리를 넣어 여름에도 잘 상하지 않는 발효떡인데, 술내를 약간 풍긴다고 해서 '술떡'이라고도 하고, 지역에 따라 '기정떡', '기주떡', '벙거지떡'이라고 부르기도 합니다. 칼로리가 낮고 소화도 잘된답니다.

2) 흰떡, 쑥떡, 송기떡 등을 얇게 밀어 팥이나 콩가루로 만든 소를 넣고 반달 모양으로 찍어 만든 떡을, 소보다는 봉긋하게 바람이 많이 들어서 흔히들 '바람떡'이라고 부르는데 '개피떡'이 맞는 표현입니다.

3) 이성 친구를 만날 때 '마음이 설레입니다'라고 하는데 '설레이다'는 말은 없습니다. '설레입니다'가 아니라 이성 친구를 만날 때 '설렙니다'가 맞습니다.

27. 변변치 못한 사람에 대한 말 2

과거에는 잠을 많이 자는 것을 미련하게 생각했다. 잠을 줄여 성공한 위인의 예를 들어 어떻게든 잠을 줄여야 한다고 주입받았다. 대학 입학과 관련하여 4당 5락이라는 말도 있었으니, 나처럼 잠이 많은 사람은 고민이 많았다. 부모님이나 가까운 사람에게 잠보라든가 잠충이라는 비아냥을 들었다. 그러나 조금만 적게 자도 정신이 맑지 못하고 책을 읽어도 집중이 잘 되지 않고, 사소한 일에도 신경질이 이는 걸 어쩌랴.

'잠의 사생활'이라는 책을 쓴 데이비드 랜들에 의하면 잠은 뇌의 근육을 풀어 주고 기억을 좋게 하고 창조적인 생각이 떠오르게 한다. 인류는 수백만 년 동안 두 번의 잠을 잤다. 두 잠 사이 깨어있는 동안 사람들은 독서를 하거나 사랑을 했다.

사람들이 수면 방식을 바꾼 이유는 에디슨의 전구 때문이다. 이것이 사람들의 잠을 빼앗았고, 심지어는 주야간 교대 근무도 만들어냈다. 저자는 스페인에서 시에스타를 없애려고 한 것처럼 중국에서 활동하는 다국적 기업도 — 현재는 식사 시간 1시간, 낮잠 시간 1시간을 주고 있는데 — 결국

낮잠 시간을 앗아갈 것이라고 말한다.

우리는 갈수록 벌새가 되어간다. 조류 중에서 가장 작고, 빠른 속도로 날개를 퍼덕거리며 잽싸게 움직이는 활동가. 이 새는 에너지를 얻기 위해 날 수 없을 지경이 될 때까지 많이 먹는다. 먹는 시간 때문에 잠자는 시간도 부족하다. 속도의 노예로 짝도 못 찾고 살다가 심장마비나 탈장으로 죽는 그 모습이, 쉬지 않고 일해 더 많은 것을 가지려는 우리 같지 않은가.

이번에도 **변변치 못한 사람에 대한 말**을 찾아보았다.

◆ 광대등걸: 살이 빠져 뼈만 남은 앙상한 얼굴

◆ 구나방: 말이나 행동이 모질고 거칠고 사나운 사람을 이르는 말

◆ 데림추: 줏대 없이 남에게 딸려 다니는 사람을 비유적으로 이르는 말

◆ 꼼바리: 마음이 좁고 지나치게 인색한 사람을 낮잡아 이르는 말

◆ 날탕: 아무것도 가진 것이 없는 사람. 어떤 일을 하는 데 아무런 기술이나 기구 없이 마구잡이로 하는 사람.

◆ 아욱장아찌: 싱거운 사람을 놀림조로 이르는 말

◆ 어리보기: 말이나 행동이 다부지지 못하고 어리석은 사람을 낮잡아 이르는 말

두런두런 궁시렁궁시렁

1) 군대에서 자주 쓰는 말 중에 '갈구다'는 말이 사회에 퍼져 텔레비전에도 등장합니다. 비표준어였는데 지금은 표준국어대사전에도 올라있습니다. 갈굼 또는 갈고리라고도 하는데 사람을 교묘하게 괴롭히거나 못살게 굴다는 뜻입니다. 때리고 욕설하는 것도 포함되는데 이 말이 자주 쓰이지 않았으면 하는 바람입니다.

2) 아이들이 울며 억지를 부릴 때 '땡깡 부린다'고 하는데 이는 '간질'을 이르는 일본말입니다. 아이들에게 쓰기 곤란한 말입니다. 부당한 일을 해 줄 것을 억지로 요구하거나 고집하다는 뜻의 우리말은 '떼쓰다'입니다.

3) 카카오 스토리에 '이야기를 파는 점빵'이 있어 지리산 소식을 받고 있습니다. 점빵이라는 말은 어린 시절을 떠오르게 합니다. 그러나 물건을 늘어놓고 파는 가게는 점빵이 아니라 바로 전방(廛가게 전 房방 방)입니다.

28. 변변치 못한 사람에 대한 말 3

촛불집회, 장미대선을 거치며 대선지형이 달라졌다. 지역몰표가 완화된 대신 세대 간의 대결 양상이 뚜렷해졌다. 이런 갈등은 계속될 것 같다.…1955년에서 63년생이 1차 베이비붐 세대이고, 68년에서 74년생이 2차 베이비붐 세대라고 한다. 1차 베이비 붐 세대는 대다수가 농촌에서 살았고, 가난과 배고픔을 겪으며 살았다. 위로는 해방과 전쟁을 겪은 부모세대들을 부양하며, 아래로는 자신들의 가난을 대물림하지 않으려고 아이들에게 공부만 시킨 산업의 역군이었다. 대부분의 사회 저명인사가 이들이고, 은퇴를 앞두고, 노후를 염려하며, 우경화하고 있다.

2차 베이비 붐 세대는 산업화, 군사독재가 진행되던 중에 유년 시절을 보낸 세대들이다. 앞세대와 달리 국가나 직장보다 가족을 더 중요하게 생각한다. 집과 취업에 대해 걱정하지만 지금 이십 대처럼 삼포 세대는 아니며, 부모님에게 빚이 있는 세대이다. 앞세대에 비해 주택보유율이 낮고, 경제력도 약한 편이다. 군사독재 시절 유년과 청년 시절을 보냈으며 실질적인 노동운동과 민주화 운동의 주역들이다. 배고픔과 가난을 직접 겪지 않고 교육을 많이 받은 세대라 고

생을 모른다는 말을 듣지만, 사회의 부조리함에 눈을 뜬 세대가 아닐까 싶다. 그런가 하면 1965년~76년에 태어난 세대를 X세대, 1977~97년 사이에 태어난 세대를 베이비붐 에코세대 또는 N세대라고 부르기도 한다. 한 세대가 가고, 새로운 세대가 뒤를 이어 온다.

이번에도 **변변치 못한 사람에 대한 말**을 찾아보았다.

◆ 약두구리: 늘 골골 앓아서 약만 먹고 사는 사람을 놀림조로 이르는 말

◆ 생파리: 남이 조금도 가까이 갈 수 없을 정도로 성격이 쌀쌀하고 까다로운 사람

◆ 앙짜: 성질이 깐작깐작하고 암상스러운 사람을 놀림조로 이르는 말

◆ 뱅충이: 똘똘하지 못하고 어리석으며 수줍음만 타는 사람

◆ 자춤발이: 다리에 힘이 없어 조금 가볍게 다리를 절며 걷는 사람

◆ 새퉁이: 밉살스럽거나 경망한 짓을 하는 사람

◆ 옹춘마니: 소견이 좁고 마음이 너그럽지 못한 사람

◆ 지질컹이: 무엇인가에 억눌려 기를 펴지 못하는 사람

두런두런 궁시렁궁시렁

1) 요즘 텔레비전을 켜면 자주 먹는 방송(먹방)이 나옵니다. 혼자 밥을 먹을 수밖에 없는 사람들이 가족과 함께 밥상에 둘러앉아 먹던 때를 그리며 쓸쓸함을 달래는 듯합니다. 음식 맛을 나타내는 말에는 여러 가지가 있습니다. 음식이 구수하고 먹을 만하면 '구뜰하다', 조금 싱거우면서 맛이 있으면 '삼삼하다', 매우면서도 달면 '얼근덜근하다', 맵고 자극적이면 '칼칼하다'고 합니다.

2) 마음은 '시들하다'고 하고, 식물은 '시들시들하다'고 합니다. '시들하다'는 마음에 차지 않아 내키지 않거나 하찮다는 뜻입니다. 또 물을 안 줘 화초가 힘없이 늘어지면 '시들시들하다'고 합니다.

3) 뿌리가 잘고 무청이 연한 '총각무'로 담은 김치는 '총각김치'입니다. 총각무를 '알타리무'라고 부르기도 하는데, 총각무는 표준말이고 알타리무는 방언입니다.

29. 보잘것없고 쓸모없는 것들

페이스북을 연다. 시와시와를 편집하는 권순진 님의 글을 읽는다. 천양희 시인의 '단추를 채우면서'라는 시가 올라와 있다. 시인이 이 시를 지은 데는 잘못 채운 첫 단추라는 개인적인 아픔이 있다. 첫 연애, 첫 결혼의 실패이다. 이혼 후 40년간 그녀는 고통 속에서 몇 차례 죽을 생각도 하였다. 그런 어느 날 그녀는 옷을 입다가 자신의 잘못 채운 인생의 첫 단추에 대해 깨닫는다. 거기서 빠져나오지 못하면 첫 단추에 갇히게 되고, 세상과 불화하게 될 수 있다는 것도.

문득 팔순의 다원이 할아버지 일이 생각난다. 남해에 사는 그분은 증손자 돌에 가기 위해 버스표를 끊었다. 노포 하나요. 그 말에 매표소 아가씨는 노포를 마포로 잘못 알아듣고 서울표를 내주었다. 들떠있던 그분은 개찰구로 달려갔고, 거기 서 있던 안내인도 눈치 빠르게 서울행 버스를 가리켰다. 당연히 운전사도 그분을 차에 태웠고, 얼마 뒤 그분은 바깥 풍경을 보다가 일이 잘못되었다는 것을 깨달았다. 어디서부터 잘못된 것일까. 그분은 여행의 첫 단추, 버스표를 보았다. 부산으로 가야 할 것을 서울로 가고 있었던 것. 이때 운전사가 큰 역할을 했다. 휴게소에서 만난 부산행 버스 운전사에게 도움을 청해 부산 노포로 갈 수 있게 해준 것. 덕분에 그분은 증손자 돌잔치에 참석했다.

첫 단추란 그런 것인가 보다. 마지막으로 권순진 님은 과거 박근혜 정부의 잘못 채워진 첫 단추, 윤창중의 인사를 언급한다. 그러면서 간절히 희망한다. 이번 정부는 첫 단추를 잘 채우고, 나아가 마지막 단추까지 잘 채우기를.

이번에는 **보잘것없고 쓸모없는 것들**에 대해 알아보았다.

- 굴퉁이: 겉모양은 그럴듯하나 속은 보잘것없는 물건
- 꽁다리: 짤막하게 남은 동강이나 끄트머리
- 나무거울: 겉모양은 그럴듯하나 실제로는 아무 쓸모도 없는 사람이나 물건
- 무지렁이: 헐었거나 무지러져서 못 쓰게 된 물건
- 날림치: 정성을 들이지 않고 대강대강 아무렇게나 만든 물건
- 넝마: 낡고 해어져서 입지 못하게 된 옷, 이불 등을 이르는 말
- 사그랑주머니: 다 삭은 주머니. 겉모양만 남고 속은 다 삭은 물건을 이르는 말

두런두런 궁시렁궁시렁

1) 여름에는 다들 국수가 많이 생각나는 듯합니다. 삶은 국수를 건질 때 쓰는 망으로 된 긴 자루가 달린 기구는 '부디기'라고 합니다. 튀김을 건질 때는 철사로 그물처럼 엮어 바가지같이 만든 기구로 긴 자루가 달린 '석자'를 씁니다. 고구마튀김은 '석자'로 건지고, 메밀국수 틀어 내린 것은 '부디기'로 건집니다.

2) 돈 같은 것을 어떤 일에 헛되게 쓸 때, 자전거를 타다 처박을 때 흔히 '꼬나박다' 또는 '꼴아박다'라고 하는데 모두 '처박다'의 사투리입니다.

3) 사람들이 나를 만만하게 여기면 화가 납니다. 만만한 게 홍어*라는 비속어도 있지만, '놀놀하다'라는 말에는 만만하여 보잘것없다는 뜻이 있습니다. 국민을 놀놀하게 보면 안 됩니다. 그랬다가 촛불 듭니다.

30. 보잘것없고 쓸모없는 것들 2

한창 더위가 기승을 부리는데 겨울의 시를 읽는다. 백석의 국수라는 시다. 눈이 많이 오고, 눈구덩이에 토끼가 빠지기도 한다. 대대로 나며 죽으며 죽으며 나며 하는 마을, 바로 우리가 사는 세상. 여기 반가운 것이 온다. 히수무레하고 부드럽고 수수하고 슴슴한 것. 우리가 아는 국수가 아니라 냉면이다. 금세 시원해지는 느낌인데 점심때 찾은 식당 주인이 오이냉국을 내놓으며 한마디 한다. 시간이 참 잘 가고 좋네요, 겨울이 어서 갔으면 했는데 벌써 여름이고요, 그 말에 서글퍼진 내가 한마디 흘린다. 시간이 빨리 가면 우리는 거저 늙어요. 그녀는 퍼뜩 놀란다. 그렇네요, 시간이 빨리 가면 힘든 것은 사라지고, 돈만 남는 줄 알았는데. 문득 요양병원에 누운 장모님 생각이 난다. 장인어른 돌아가시고 영 기력을 못 차리시더니 걸음도 못 걷는다. 그때가 언제인가. 결혼 후 맞은 첫 설에 처가에 갔다. 평소에도 장모님은 가마솥 가득 추어탕을 끓여 마을 사람들을 부르는 호탕한 분이셨는데, 명절에도 음식을 많이 장만했다. 잡채에 이름도 특이한 군수, 산적, 단술, 갖가지 나물 반찬. 아마 삼 일은 처가에서 웃고 떠들었던 것 같다. 형님은 주는 대로 다 맛있게 먹는데, 양 서방은 배가 땅갑지 만한 갑네. 어디선가 들리는 장모님의 포근한 목소리, 밖에는 자주 바람이 몰아치고 하얀 눈이 펑펑 내리고. 그러나 그 시절은 잠깐이었다. 그 순간이 영원할 줄 알았는데 그게 아니었다. 아, 저기! 누군가의 목소리에 텔레비전에 눈을 둔다. 법정에 모습을 드러낸 박근혜 전 대통령 모습이 비친다. 그도 불멸을 꿈꾼 사람 중의 하나였나 보다. 그 정권이 영원할 줄 알았나 보다.

이번에도 **보잘것없고 쓸모없는 것들**에 대해 알아보았다.

◆ 째마리: 사람이나 물건 가운데서 가장 못된 찌꺼기

◆ 주저리: 너저분한 물건이 어지럽게 매달리거나 한데 묶여 있는 것

◆ 좀팽이: 자질구레하여 보잘것없는 물건. 몸피가 작고 좀스러운 사람.

◆ 조리복소니: 원래 크던 물건이 차차 졸아들거나 깎여서 볼품이 없게 된 것.

◆ 잡동사니: 잡다한 것이 한데 뒤섞인 것, 또는 그런 물건

◆ 잔챙이: 여럿 가운데 가장 작고 품이 낮은 것

◆ 사금파리: 사기그릇의 깨어진 작은 조각

두런두런 궁시렁궁시렁

1) 어디선가 들리는 매미소리. 쓰르람 쓰르람, 이렇게 우는 주인공은 '쓰르라미'라는 매미입니다. 붉은 갈색에 녹색 얼룩무늬가 있는 '쓰르라미'는 해가 지고 노을이 내리는 저녁 무렵에 운다고 해서 일명 '저녁매미'라고도 합니다.

2) '열무'는 왜무, 올무, 궁중무, 순무처럼 무의 종류가 아닙니다. 단순히 '어린 무'가 '열무'이니 열무 씨도 있다고 할 수 없습니다. 그리고 열무가 자라 꽃을 피우면 그것은 열무꽃이 아니라 '장다리꽃'입니다.

3) '꼬라지가 그게 뭐냐'는 표현을 한 번씩 듣는데, '꼬라지'는 '꼬락서니'의 방언입니다. 또 '꼬락서니'는 '꼴'을 얕잡아 이르는 말입니다. '꼴'은 사물의 모양새나 됨됨이를 가리킵니다.

31. 보잘것없고 쓸모없는 것들 3

언제부터인가 그랬다. 나이가 든다는 것은, 장수한다는 것은 기쁜 일이 아니라 불행한 일이 된 듯하다. 은퇴 후 노후 자금이 없으면 불행하게 늙어야 합니까? 돈 없으면 불행하게 늙어가야 한다는 생각 때문에 모두들 너무 불안해한다. 언제부터인지 모르지만, 이것이 대한민국의 현실이다. 노후 자금이 마련되어 있지 않으면 한 세상을 잘못 살아온 것으로 규정되고, 앞으로 남은 인생은 불행할 것이라고 말할 정도이다. '나이듦'이라는 책의 소개에 나오는 내용이다. 돈이 좀 부족하더라도 다른 기둥을 잘 세우면 된다. 다른 기둥들로 무게를 분산시키는 것이다. 예를 들어 주변에서 잘 늙어가는 분을 롤 모델삼기, 몸과 마음을 다스리는 자기 관리, 소박한 일거리나 아니면 봉사활동, 그중에 가장 중요한 것은 사람들과 관계 맺기다.

다른 책 소개도 보았다. 영원한 젊음. 에콰도르에 빌카밤바라는 마을이 있다. 백 살 정도로는 나이 든 축에도 끼지 못하는 장수 마을이다. 백열 살, 백스무 살, 심지어 백마흔 살의 노인도 있는데, 이상하게도 다들 건강하다. 돋보기와 틀니, 굽은 허리와 지팡이를 찾아보기 힘들다. 절제를 하

는 것도 아니다. 대부분 골초에 술고래다. 빈곤하고 위생적
으로도 좋지 않은 마을이다. 이유가 뭘까. 아무것도 없다.
저자가 보기에 그들은 건강을 위해 어떤 노력을 기울이지
않는다. 단지 누구에게도 기대지 않은 채 고된 노동을 할
뿐 나이듦이나 불멸에 대해 생각지 않는다. 죽음을 맞이하
는 방식도 그렇다. 잠자리에 들었다가, 일하러 갔다가, 목욕
하러 갔다가 죽음을 맞이한다.

이번에도 **보잘것없고 쓸모없는 것들**에 대해 알아보았다.

◆ 시들방귀: 시들한 사물을 하찮게 여겨 이르는 말

◆ 여차(餘次): 그리 대수롭지 않은 일이나 물건

◆ 해감: 물속에서 흙과 유기물이 썩어 생기는 냄새나는
찌꺼기

◆ 허드레: 그다지 중요하지 않고 허름하여 함부로 쓸 수
있는 물건

◆ 흙감태기: 온통 흙을 뒤집어 쓴 사람이나 물건

◆ 푸석이: 거칠고 단단하지 못하여 부스러지기 쉬운 물건

◆ 사시랑이: 가늘고 약한 물건

두런두런 궁시렁궁시렁

1) 전에 시골에서는 우물 대신 동네 한가운데 놓인 펌프를 쓰기도 했는데, 사투리로 '작두샘'이라고 했습니다. 항아리 같은 실린더 안에는, 피스톤 역할을 하는 두꺼운 편직물에 고무 패킹을 달아 만든 물건이 있습니다. 손잡이를 올릴 때는 가볍게, 내릴 때는 힘을 주어서 사용합니다. 바로 '플런저 펌프'입니다.

2) 펌프질을 시작하기 전, 먼저 한두 바가지 정도 물을 실린더 안에 부어주어야 합니다. 다음 물이 밑으로 빠져나가기 전에 부지런히 펌프질해야 합니다. 맑은 지하수를 끌어올리기 위해 꼭 필요한 한두 바가지 정도의 이 물이 '마중물'입니다.

3) 도장을 찍는 방법에는 여러 가지가 있는데, 함께 묶인 서류의 종잇장 사이에 걸쳐서 찍는 도장은 '간인(間印)'이라고 하기도 하지만, '사잇도장, 거멀도장, 걸침도장, 이웃도장'이라고 순화해 부릅니다.

32. 개울·도랑·강

'눈 속에 흘린 피의 흔적'이라는 마르케스 단편소설이 생각난다. 거기에는 남녀 주인공이 나온다. 빌리는 부모 사랑을 받지 못하고 잡초처럼 자란 건달이고 네나는 귀족 출신으로 서구 교육을 받았다. 우연히 둘은 싸우게 되고 사랑하게 된다. 곧 그들은 선물로 받은 애스턴 마틴 자동차를 타고 스페인으로 신혼여행을 간다. 가는 도중 뜻하지 않게 폭설이 내린다. 그들에게 처음 본 눈은 놀라움 자체다. 그런 와중에 네나는 우연히 장미 가시에 찔리고, 네 번째 손가락에서 피가 나기 시작한다. 처음에는 별것 아니었다. 빌리는 새 차를 운전하며 여전히 즐거워하고, 그러나 릴케의 죽음처럼 피는 사흘 내내 멈추지 않는다. 폭설 속에서 병원을 찾아 헤매다가 겨우 프랑스 파리에서 차를 멈추고 병원으로 간다. 그런데 네나가 중환자실로 옮겨진 후 빌리는 얼굴도 볼 수 없다. 불어를 모르는 중남미인 빌리는 어떻게 사태를 해결해야 할지 알 수 없다. 도대체 이해할 수 없는 체제와 규범이라니. 이럴 때 절대고독이라는 말을 써야 하나 보다. 한국어밖에 모르는 내 처지인 듯도 싶고, 이럴 때는 어찌해야 하나. 우리가 유럽인들을 특별히 생각한 것처럼 그들도 그리 대해줄까. 아닐 것 같다. 대한민국에 온 동남아시아 사람들을 대하는 우리를 보면 알지 않는가. 참다못한 빌리는 본국대사관에 도움을 요청하지만 별반 도움이 되지 않는다. 그러면서 빌리는 자신의 힘으로 살아가는 사람이 되어가지만, 네나는 패혈증으로 죽는다. 그 사실조차 모른 채 병원 앞에서 일주일을 서성대던 중남미인에게 눈이 내린다. 그날, 파리에서는 10년 만의 폭설을 축하하는 축제가 열린다. 소외된 자의 서글픔이 배가 되는 순간이다.

이번에는 **개울·도랑·강**에 대해 알아보았다.

◆ 개울: 골짜기나 들에 흐르는 작은 물줄기

◆ 나루: 강이나 내, 또는 좁은 바닷목에서 배가 건너다니는 일정한 곳

◆ 시내: 골짜기나 평지에서 흐르는 자그마한 내

◆ 난바다: 육지에서 멀리 떨어진 넓은 바다

◆ 도랑: 매우 좁고 작은 개울

◆ 시궁: 더러운 물이 잘 빠지지 않고 썩어서 질척질척하게 된 도랑

◆ 서덜: 냇가나 강가 따위의 돌이 많은 곳. 서덜길

두런두런 궁시렁궁시렁

1) '송아지 송아지 얼룩 송아지'라는 동요도 있고, 정지용 시인의 '향수라'는 시에도 '얼룩백이 황소가 해설피 금빛 게으른 울음을 우는 곳'이 나옵니다. 그러나 한국 토종소는 아주 희소하게 '칡소'가 있기는 했지만 '누렁소'와 '황소'밖에 없었습니다. 젖소가 들어오기 전까지는 우리나라에 얼룩빼기 황소는 없었던 셈입니다.

2) '끝물 고추가 더 맵다, 딸기도 이제 끝물이라 달지 않다'는 말을 듣습니다. '푸성귀나 과일 또는 해산물 따위의 그해에 맨 나중 나는 것'을 '끝물' 또는 '막물'이라고 합니다. 반대로 제일 먼저 거두어들인 것은 '맏물'이라고 합니다.

3) '시러베아들'이나 '시러베자식'은 단순히 '실없는 사람'의 낮춤말입니다. '시러베장단에 호박국 끓여 먹는다'는 우리 속담도 있습니다.

33. 감·밤에 대한 말

내가 쩍벌남이라니, 한 번도 생각해 본 적이 없다. 그날의 일이 떠오른다. 나는 창가에 앉았고, 아파트 정문에서 이십 대 초반의 여자가 내 옆에 앉았다. 젊은 여자가 옆에 앉아 조심스러웠지만 좋은 일이라고 생각하기로 했다. 창밖을 보던 나는 눈을 감았고, 꾸벅꾸벅 졸았다. 그러다 어느 순간 제발 다리 좀 오므리세요, 라는 말을 들었다. 얼결에 눈을 떴고, 후닥닥 다리를 오므렸다. 당혹스러워 그녀 얼굴을 보지도 못했다. 주위의 누군가가 나를 보는 건 아닐까. 성추행하려는 줄 알고, 50대 남자가 딸 같은 여자에게. 아, 아닐 것이다. 전철 안에만 쩍벌남이 있는 줄 알았는데, 버스에도 쩍벌남이 있구나. 노포동에 도착할 때까지 얼굴이 화끈거려 먼 풍경만 보았다. 몇십 년 넘게 자가용에 길들여진 탓일까. 그래서 지금껏 다리를 오므리는 법을 배우지 못한 탓일까. 아니면 남자랍시고 그런 걸까.

그런데 며칠 후 퇴근 무렵, 같은 일이 다시 일어났다. 이번에도 하얀 옷을 입은 이십 대 아가씨였다. 힘든 노동과 장거리 운전에 지쳤던 탓인지 금세 또 잠이 들었다. 그리고 어느 순간, 신경질적인 여자의 손짓이 느껴졌다. 그녀는 내다리를 거칠게 밀어냈다. 나는 찍소리 못하고, 멍청히 앉아 있었다. 혹 성추행범으로 몰리지 않을까 걱정하며. 다행히 그런 일은 일어나지 않았다. 왜 이런 일이 연달아 일어날까. 잠이 통제력을 앗아가는 탓일까. 과거에 사진을 찍을 때도 이렇게 다리를 벌리고 있었는데. 다리를 오므리고 앉으려고 생각한 적이 있기나 한가. 우울해졌다. 그것이 남자의 자신 감이라고 생각했던 것일까.

이번에는 **감·밤**에 대해 알아보았다.

- ◆ 곶감: 껍질을 벗기고 꼬챙이에 꿰어서 말린 감
- ◆ 풋감: 빛이 퍼렇고 아직 덜 익은 감
- ◆ 날밤: 굽거나 삶거나 찌거나 말리거나 하지 않은 날것 그대로의 밤 = 생밤
- ◆ 밤톨: 낱낱의 밤알   ◆ 밤느정이: 밤나무의 꽃
- ◆ 덕석밤: 넓적하고 크게 생긴 밤
- ◆ 도톨밤: 도토리 같이 둥글고 작은 밤
- ◆ 두톨박이: 알이 두 개만 여물어 들어 있는 밤송이

두런두런 궁시렁궁시렁

1) 홍시가 열리면 울 엄마가 그리워진다, 는 나훈아 노래

가 들려옵니다. 홍시는 감나무에 따로 열리는 것이 아니라 풋풋하고 단단했던 감이 물렁하게 잘 익으면 홍시가 됩니다. 홍시는 꼭 노을처럼 붉어 마음이 따뜻해집니다. 어린 시절 감나무 위에 올라가 홍시가 떨어질세라 '전짓대'로 조심스럽게 따던 때가 생각납니다.

2) 가슴에 리본을 달 때, 또는 바지춤이나 치맛단이 터졌을 때 임시방편으로 쓰는 핀은 흔히 옷핀이라고 부르기도 하지만 '안전핀'입니다. 한쪽 끝이 둥글게 굽어 있어서 찔리지 않게 바늘 끝을 숨길 수 있게 만든 핀입니다.

3) 전에는 산이나 들에서 음식을 먹을 때 음식을 조금 떼어 내던지며 '고시레!' 하고 외쳤는데 고시레는 '고수레'의 방언입니다. 굶어 죽은 '고 씨'를 가엾게 여겨 고시레, 외치며 음식을 던져준다는 옛이야기도 있습니다.

34. 개울·도랑·강 2

아침이면 서투르게 페이스북을 연다. 우리 시대의 역설, 제프 딕슨(류시화 엮음, 오래된 미래). 권순진 시인의 글은 달인의 경지에 오른 듯 심금을 울린다. 나는 왜 지금껏 그 역설을 깨닫지 못했을까. 시인의 글을 그대로 읽어 본다.

건물은 높아졌지만 인격은 더 작아졌다. 고속도로는 넓어졌지만 시야는 더 좁아졌다. 소비는 많아졌지만 더 가난해지고 더 많은 물건을 사지만 기쁨은 줄어들었다… 말은 너무 많이 하고 사랑은 적게 하며 거짓말은 너무 자주 한다. 생활비 버는 법은 배웠지만 어떻게 가치 있게 살 것인가는 잊어버렸고 인생을 사는 시간은 늘어났지만 시간 속에 삶의 의미를 찾는 법은 상실했다.… 1999년 4월 20일 미국 콜로라도 한 고등학교에서 총기 난사 사건이 발생했다. 이 뉴스를 접한 호주 콴타스 항공 최고 경영자 제프 딕슨이 글 하나를 인터넷에 올렸다. '우리 시대의 역설'이다. 이 글이 딕슨의 시가 아니라 미국 한 교회 목사 설교라는 말도 있고, 달라이 라마 가르침이라는 설도 있지만 서늘한 가을바람처럼 놀랍지 않은가.

세상이 발전할수록 행복해져야 마땅할 것 같은데 그렇지

못하다. 어찌 된 까닭일까. 물질의 풍요와 행복은 비례하지 않는다는 것. 어느 때보다도 풍요로운 시대를 살고 있는 듯하지만 삶은 헛헛해만 간다. 그런가 하면 부탄은 히말라야 산맥 동쪽 인구 70만의 작은 산악 국가로, 국민소득은 2천 달러에도 미치지 못하지만 무상의료와 무상교육을 실시하고, 국민의 행복지수가 세계 최고 수준이다. 이것은 돈이 행복을 오로지 좌우할 수 없다는 말과 상통한다.

이번에는 **개울·도랑·강**에 대해 알아보았다.

◆ 살여울: 물살이 급하고 빠른 여울물

◆ 봇도랑: 봇물(보에 괸 물, 또는 흘러내리는 물)을 대거나 빼게 만든 도랑

◆ 못: 넓고 오목하게 팬 땅에 물이 괴어 있는 곳. 늪보다 작다.

◆ 물마루: 바다와 하늘이 맞닿은 것처럼 멀리 보이는 수평선의 두두룩한 부분

◆ 박우물: 바가지로 물을 뜰 수 있을 정도의 얕은 우물

◆ 우금: 시냇물이 급히 흐르는 가파르고 좁은 산골짜기

◆ 한데우물: 집 울타리 밖에 있는 우물

◆ 웅덩이: 움푹 패어 물이 괴어 있는 곳

두런두런 궁시렁궁시렁

1) '고구마줄기'에는 식이섬유가 많아 변비에 좋고, 단백질, 칼슘 등이 많아 건강에 좋다고 하는데, 고구마줄기가 아니라 '잎줄기'입니다. 더 정확히는 '고구마잎자루'입니다. 고구마줄기는 억세서 먹기 힘듭니다. 또 '고구마대'나 '고구마순'이라고 하기도 하는데, 우리가 껍질을 벗겨 데쳐서 무치거나 볶아 먹는 것은 '고구마잎자루'입니다.

2) 마음이 아프거나 슬픈 일이 있을 때, 가슴이 미어진다고 말하고, 손으로 치거나 두드리거나 쥐어뜯는다고 할 때의 가슴은 '앙가슴'이라고 합니다. 두 젖 사이의 가운데가 '앙가슴'입니다.

3) 무를 통째로 소금에 짜게 절여서 묵혀 두고 먹는 김치가 '짠지'이고, 소금물에 삼삼하게 담근 무김치는 '싱건김치, 또는 싱건지'입니다.

35. 잠에 대한 말 2

아침에 부지런히 몸을 움직여 버스를 타기 위해 집을 나선다. 아침 7시, 아직 춥고 매서워 얼굴 신경은 놀라워한다. 게을러서 가난하다는 말을 유포한 것은 부자들일 것이다. 세습된 부와 부동산 투기로 부자가 된 대한민국 대부분 부자. 그들은 새벽 4시에 청소하러 나가는 할머니나 아주머니들, 노동자들을 어떤 눈으로 볼까.

버스가 온다. 운전수 아저씨가 인사를 한다. 내가 답례를 하기 무섭게 차는 움직인다. 운전수 아저씨가 차를 서둘러 모는 것은 알다시피 배차 시간 때문이다. 그의 의지가 아닌 것이다. 오십을 넘으니 조금 세상이 보이는 듯도 하지만 여전히 부족하다. 촛불혁명 후 새 정부가 들어섰지만, 기대하는 만큼 혁신은 이루어지지 않는다. 북한 핵 문제가 그렇고, 사드가 그렇고, 원자력 발전소 건설 문제가 그렇고, 실망하는 사람이 늘어가지만, 과거 노무현 대통령 시절을 생각해 보면 고개가 끄덕여진다. 비주류에 약소국 대통령이 기득권 세력과 강대국에 맞서 얼마나 뜻을 펼칠 수 있었을 것인가. '남한산성'이라는 영화가 개봉되었는데, 그때와 현재 대한민국 상황이 비슷하다고 한다. 토인비의 말처럼 역사는 반복

되는 것인가. 아니면 차이를 만들기도 하는 것일까. 예나 지금이나 사람은 별반 달라진 게 없는 것 같기도 하다. 지금 이대로가 좋은 소수의 사람과 좀 더 나아지기를 바라는 다수의 사람. 손해 보지 않기 위해 무의식적으로 힘 있는 쪽에 서야 하는 가난한 사람들. 지금 우리에게 명분과 실리에 해당하는 나라는 각각 어디일까.

이번에는 **잠**에 대해 알아보았다.

◆ 새우잠: 새우처럼 등을 구부리고 자는 잠

◆ 쪽잠: 짧은 틈을 타서 불편하게 자는 잠

◆ 토끼잠: 깊이 들지 못하고 자꾸 깨는 잠

◆ 풋잠: 잠든 지 얼마 안 되어 깊이 들지 못한 잠

◆ 두벌잠: 한 번 들었던 잠이 깨었다가 다시 드는 잠

◆ 헛잠: 거짓으로 자는 체하는 잠, 잔 둥 만 둥 하는 잠

◆ 돌곁잠: 한자리에 누워 자지 않고 이리저리 굴러다니면서 자는 잠

◆ 멍석잠: 너무 피곤하여 아무 데서나 쓰러져 자는 잠

두런두런 궁시렁궁시렁

1) 요즘에는 누에를 치지 않지만, 전에는 봄누에, 가을누

에, 1년에 두 번 누에를 쳤습니다. 누에는 키우는 것이 아니라 '친다'고 합니다. 누에가 허물을 벗기 전에 뽕잎을 먹지 않을 때는 잠을 잔다고 했습니다. 누에는 몇 잠을 자야 섶에 올라 고치를 지을까요? 네 번 잠을 잡니다.

2) 추울 때 소의 등을 덮어주는 멍석은 '덕석'입니다. 짚으로 엮어 고추, 호박, 토란대 따위를 넣어 말리는 것은 '멍석'입니다. 경상, 전라도에서 '멍석'을 '덕석'이라고 불러 헷갈리기도 합니다.

3) 이발소나 미용실에서 머리를 깎고 나면 제비초리를 면도하게 됩니다, 그 부분을 '뒷목'이나 '뒷덜미'라고 하는 분이 많은데 '목덜미'가 표준어입니다. '뒷덜미'는 목덜미 아래 어깻죽지 사이입니다.

36. 공구에 대한 말

'밥상 차리는 남자'를 보고 있다. 이신모 역의 김갑수가 나중에 밥상 차린다는 이야기가 아닐까. 처음부터 이 생각으로 프로그램을 보는데, 갈수록 가관이다. 그는 아내의 말도 아들의 말도 듣지 않는 독불장군이다. 가족을 사랑하는 방식도 일방적으로 정한 것이다. 모두 그 속으로 들어가야 한다. 아내 홍영혜는 늘 어찌할 줄 모르고 전전긍긍한다. 그는 어찌할 수 없는 마초, 간이 부은 꼰대, 위대한 가부장이다.

그것이 끝나자 채널을 돌린다. 배경은 조선시대. 존경해 마지않는 퇴계 이황의 아내 사랑에 대한 이야기다. 27살 때 첫 번째 부인과 사별한 후 맞이한 권씨 부인은 명문가 출신이었지만 정신이 온전치 못했다. 제사상의 배를 몰래 치마 속에 숨기기도 하고, 해진 흰색 도포를 빨간 천으로 꿰매는 등 이황을 웃음거리로 만들었다. 그러나 애처가였던 이황은 손수 배를 깎아 주고, 웃음으로 허물을 감싸주었다. 조선 최고의 부부학 개론을 제자들에게 가르치기도 한 대학자, 이황. 그래서 애처가로 천일야사에 불려 나오는가 보다. 그렇지만 '한국구비문학대계'에 보면 "퇴계가 낮에는 관을 쓰고 점잖게 제자들을 데리고 강학을 하는데, 밤에는 부인에게 토끼같이 굴었다. 그래서 낮 퇴계, 밤 토끼라는 말이 생겼다"는 내용이 있다. 요즘에야 흠이 될 일이 아니지만 그만큼 부인과 잠자리를 자주 가졌다는 것. 율곡과 퇴계의 부부 생활도 수록되어 있다. 율곡 선생은 부부 생활 중에도 점잖은 모습을 보인 것과 달리 퇴계 선생은 그렇지 않았다고 한다.

이번에는 **공구에 대한 말**에 대해 알아보았다.

◆ 먹통: 먹줄을 치는 데 쓰는 나무로 만든 그릇

◆ 다림줄: 수평이나 수직을 볼 때 쓰는 줄

◆ 다림추: 다림줄에 달아서 늘이는 추

◆ 곰보망치: 끝이 평평하여 돌의 표면을 고르게 할 때 쓰는 망치

◆ 비비송곳: 자루를 두 손바닥으로 비벼서 구멍을 뚫는 송곳

◆ 쥐꼬리톱: 톱의 끝으로 갈수록 쥐꼬리와 비슷하게 생긴 가늘고 얇은 톱

◆ 노루발장도리: 한쪽은 뭉툭하여 못을 박을 수 있고, 다른 한쪽은 넓적하고 둘로 갈라져 못을 뺄 수 있도록 만든 장도리

두런두런 궁시렁궁시렁

1) 신발이 짝이 안 맞는다, 눈이 짝짝이다, 하는 말을 하는데 이는 쌍을 이루지 못한다는 말입니다. 짝버선, 짝신, 짝귀, 짝눈 따위가 있는데 '짝불알'이라는 말은 없습니다. 생식기와 고환이 붓고 아픈 병증으로 한쪽이 특히 커진 불알을 가리키는 '토산불알'이라는 말은 있습니다.

2) 한 번씩 TV에 얌전하지 않고 온갖 난동을 부리는 소의 모습이 나오는데 '소가 뿔로 물건을 닥치는 대로 들이받는 짓'을 가리키는 우리말이 있습니다. '뜸베질'입니다. 그리고 뜸베질을 잘하는 황소를 '부사리'라고 합니다.

3) '달달한 다방 커피'라는 말을 자주 쓰는 데 '달곰한 다방 커피'가 맞는 말입니다. '감칠맛이 있게 달다'가 '달곰하다'입니다. '달콤하다'는 말도 자주 쓰는데 '달곰하다'는 이보다 더 여린 느낌을 주는 말입니다.

37. 가족·친지·여자

한밤에 잠을 깬다. 몸은 곳곳이 아프고, 꿈은 산 사람과 죽은 사람으로 인해 혼란스럽다. 감정의 파도는 높이 솟았다가 부서지고, 따뜻하고 부드러운 음악 같은 삶은 어디로 갔을까. 책을 읽으면 즐겁고, 한 잔씩 술을 마시면 행복했는데. 산국의 진한 향기에 눈을 감기도 했고. 그러나 이제는 어느 것도 즐겁지 않다. 저무는 숲처럼 시들시들해진다. 나는 어디로 가야 할까. 삶이 두렵고 무기력해진다.

아침에 류시화 님의 '새는 날아가면서 뒤돌아보지 않는다'를 읽으니 스르르 마음이 풀린다. '내 삶에 힘든 순간들이 있었다. 그 순간들을 피해 호흡을 고르지 않으면 극단적인 선택을 하거나 부정적인 감정들로 마음이 피폐해질 수 있었다. 그럴 때마다 여행은 나만의 퀘렌시아(피난처, 안식처의 스페인어)였다.' 투우사와 싸우다 지친 소에게 기운을 찾을 곳이 필요하듯 삶에 지친 내게 필요한 것도 안식처였다. '삶은 자주 위협적이고 도전적이어서 우리의 통제 능력을 벗어난 상황들이 펼쳐진다. …그럴 때마다 자신만의 영역으로 물러나 호흡을 고르고, 마음을 추스르고, 살아갈 힘을 회복하는 것이 필요하다.'

내가 힘들고 지쳤을 때 기운을 얻었던 곳은 어디일까. 어렸을 때는 외가나 혼자만의 골방이었다가, 자라면서 친구가 되기도 하고, 연인이나 여행이 되기도 했다. 요즘은 꽃을 보거나 글을 쓰고 있으면 내 안의 파도가 사라진다.

이번에는 **가족·친지·여자**에 대해 알아보았다.

- ◆ 종고모: 아버지의 사촌 누이 = 당고모
- ◆ 덤받이: 여자가 전남편에게서 배거나 낳아서 데리고 들어온 자식
- ◆ 논다니: 웃음과 몸을 파는 여자를 속되게 이르는 말
- ◆ 풀솜할머니: 풀솜이 다른 솜보다 따뜻함에 비유하여 '외할머니'를 친근하게 이르는 말
- ◆ 뻘때추니: 어려워함이 없이 제멋대로 짤짤거리며 쏘다니는 계집아이
- ◆ 버커리: 늙고 병들거나 고생살이로 쭈그러진 여자
- ◆ 되모시: 이혼하고 처녀 행세를 하는 여자
- ◆ 뒷방마누라: 첩에게 권리를 빼앗기고 뒷방으로 쫓겨난 본처
- ◆ 시앗: 남편의 첩
- ◆ 넛할머니: 아버지의 외숙모, 넛할아버지: 아버지의 외숙

두런두런 궁시렁궁시렁

1) 내 몸에 붙은 다리지만 제대로 분간하기 어렵습니다. '넓적다리'는 다리에서 무릎관절 윗부분이고, '허벅다리'는 넓적다리의 위쪽 부분입니다. '허벅지'는 허벅다리 안쪽의 살이 깊은 곳, 그러니까 꼬집을 수 있는 부분입니다. '엉덩이'도 제대로 구분하기 어렵습니다. 엉덩이 윗부분은 골반에 이어진 볼기 윗부분, 엉덩이뼈가 만져지기도 하는 부위이고, '히프'라고도 합니다. 엉덩이 아랫부분은 살집이 있어 '궁둥이' 또는 '볼기'라고 합니다.

2) 요즘 영화에 보면 사법기관에서 나온 사람들이 수색영장을 들고 집안 곳곳을 뒤지며 먼지 하나까지 터는데 '사람이나 짐승, 물건 따위를 뒤져내는 일'은 우리말로 된장질이 아니라 '뒨장질'입니다.

3) 빗이 없을 때 우리는 손가락으로 우아하게 머리를 빗어 넘깁니다. 이때 손가락으로 빗는다고 하는 대신 '손가락빗'으로 빗는다고 합니다. 빗을 대신하여 머리를 쓸어 넘기는 손가락을 비유적으로 재미있게 '손가락빗'이라고 하거든요.

38. 떡에 대한 말 2

오십 고개를 넘으니 나도 중년인가 싶다. 이제 남은 삶이 살아온 것에 비해 더 짧다. 삶이 얼마나 남았을까. 올 때는 순서가 있어도 갈 때는 순서가 없다는데. 융이라는 심리학자의 말도 들려온다. 이제 당신은 정오의 태양이 아니야. 지는 해야. 그러니 지금까지와는 정반대의 삶을 살아야 할 걸. 제대로 살고 싶다면 생각도 확 바꾸고. 카스에 올라온 김순아 시인의 글을 읽으니 점점 우울해진다. 나도 주위 사람들이나 시선을 의식하고 거기에 맞춰 살아온 것은 아닐까. 칭찬과 인정을 받고 싶어 하고, 좋은 사람으로 불리고 싶었던 거야? 그러면 너는 노예로 살아온 거야. 지금껏 들었던 말도 떠오른다. 아, 글쎄 사람이 혼자 사는 것도 아니고 세상에 맞춰 살아야지. 이런 말에 나는 수긍할 수 없다. 아직도 모르겠어, 내가 누군지 모르겠다고. 대답이 들려온다. 아, 다른 사람에게 물어봐. 다른 사람이 나를 보는 눈이 더 정확하다니까.

나는 누구인가. 류시화 시인에 의하면 타인이 생각하는 나는 내가 아닐 때가 많다고 한다. 그들이 상상하고 추측하는 나이다. 타인이 생각하는 나나 사람들에게 보이는 모습을 나라고 받아들이는 순간 불행과 불만족이 시작된다. 니체의 말처럼, 우리는 자주 오해받기도 한다. 계속해서 성장하고 변화하기 때문이다. 우리는 봄마다 새로운 껍질을 벗고 새로운 옷을 입는 나무가 된다. 나는 고정된 모습을 가지고 있지 않았던 것. 쉬운 일은 물론 아니겠지만, 잘난 척하지 않고, 위대한 자로 인정받으려 하지 않고, 칭찬과 모욕에도 움직이지 않는, 돈을 모으려고 안간힘 쓰지 않는 사람이 될 수는 없을까.

이번에도 **떡**에 대해 알아보았다.

◆ 개피떡: 흰떡, 쑥떡, 송기떡 따위를 얇게 밀어 콩가루나 팥으로 소를 넣고 오목한 그릇 같은 것으로 반달 모양으로 찍어 만든 떡

◆ 시루떡: 떡가루에 콩이나 팥 따위를 섞어 시루에 켜를 안 치고 찐 떡

◆ 송기떡: 송기(소나무 속껍질)를 멥쌀가루에 섞어 반죽하여 만든 떡

◆ 수수팥떡: 수숫가루에 팥고물을 켜켜이 얹어 찐 시루떡

◆ 인절미: 찹쌀을 쳐서 떡메로 쳐 고물을 묻힌 떡

◆ 부꾸미: 찹쌀가루, 밀가루, 수숫가루 따위를 반죽하여

둥글고 넓게 하여 번철에 지져 팥소에 넣은 떡

두런두런 궁시렁궁시렁

1) '엄마가 뿔났다'는 드라마가 있었습니다. 여기서 '뿔'은 '성'을 가리키는 비속어입니다. 노엽거나 언짢게 여겨 일어나는 불쾌한 감정이 바로 '성'입니다. 뿔따구가 나다, 뿔따구를 내다, 는 말도 자주 쓰는데, 뿔따귀가 나다, 뿔때기를 내다, 가 맞습니다. 그러나 뿔따귀나 뿔때기도 방언입니다.

2) 곡식을 수확하면 검부러기, 먼지가 많습니다. 이때 키 따위로 부쳐 바람을 일으키면 곡식은 밑에 떨어지고, 그것들은 날아가게 되는 데 이를 '나비질'이라고 합니다.

3) 키를 위아래로 흔들어 곡식의 검불 따위를 날려 버리는 일이 '까붐질'이고, 곡식에 섞인 티끌을 바람에 날려 보내려고, 곡식을 키에 담아 높이 들고 천천히 흔들며 쏟아 내리는 일은 '키내림'이라고 합니다.

39. 옷에 대한 말

니가 있다는 것이 나를 존재하게 해 니가 있어 나는 살 수 있는 거야 조금만 더 기다려 네게 달려갈 테니 그때까지 기다릴 수 있겠니. 가수 김종환의 노래 '존재의 이유'를 듣는다. 절절한 사랑의 목소리가 마음을 움직인다. 그런데 '네가'가 아니고 '니가'라니? '니'는 구어에서 듣는 이가 손아랫사람이거나 친한 사람일 때 그 사람을 가리키는 말이지만 바른 표현은 아니다. 아마 '네가'를 '내가'와 혼동되지 않게 발음하기 어려운 탓이리라. 그래서 세파에 민감한 유행가에서도 '니가'라는 표현이 창궐하고.

문득 존재의 이유라는 단어에 생각이 멎는다. 한창 정의란 무엇인가, 라는 책이 많은 국민의 관심을 끌었다. 국가란 무엇인가에 대해서도 논의가 거세게 일었다. 이게 나라냐, 라고 거대한 촛불을 들었던 때이다. 김순아 씨가 쓴 국가란 무엇인가를 읽어 본다. '국가는 본디 인간을 위해 세워졌다. 인간이 먼저 있고 국가가 있지, 국가가 있고 인간이 있는 것은 아니라는 뜻이다. 인간보다 먼저 국가를 내세우는 것은 전체주의 지배주의의 인식에서 나왔다.' 나라님을 받들고, 나라가 먼저라는 생각을 해 온 분들은 이해하기 어려울

수도 있지만, 민주주의 사회에서는 기가 막힐 노릇이다. 그간 인간보다 국가가 먼저이고, 국민보다 정부와 대통령이 먼저였던 것. 세월호 참사를 슬퍼하며 지었던 졸시를 꺼내 읽어 본다. 무명작가인지라 발표하지 못했던 것이다. 제목은 사흘간 내리는 비. 몸서리나게 사흘을 비가 내린다. 그치는가 싶더니 우박처럼 쏟아지고 환히 웃는가 싶더니 눈물이 물꼬를 타고 흐른다. 너는 어딨는가 나는 어딨는가 생사의 경계 어디쯤인가 몸서리나게 내리는 빗속에서 너를 부른다. 애타는 목소리로 성난 목소리로.

이번에는 **옷**에 대해 알아보았다.

- ◆ 반물치마: 반물빛깔(검은빛을 띤 짙은 남빛)의 치마
- ◆ 풀치마: 양쪽으로 선단이 있어 둘러 입게 만든 치마
- ◆ 스란치마: 입으면 발이 보이지 않는 긴 치마. 스란(치맛단에 금박선을 두른 것)
- ◆ 쓰개치마: 옛날 부녀자들이 나들이할 때 머리에서부터 몸을 가리던 치마
- ◆ 잠방이: 가랑이가 무릎까지 내려오도록 짧게 만든 홑바지
- ◆ 중동바지: 위는 홑, 아래는 겹으로 만든 여자 바지

◆ 적삼: 윗도리에 입는 저고리 같은 홑옷

두런두런 궁시렁궁시렁

1) 팥죽은 우리 민족에게 친근합니다. '팥죽할멈과 호랑이'라는 전래동화도 있는데, 솥에 팥죽을 끓여 그릇 같은데 담아두면 어른 손바닥 두께만 하게 '더껑이'가 앉습니다. '더껑이'는 걸쭉한 액체의 거죽에 엉겨 굳거나 말라서 생긴 꺼풀을 말합니다.

2) '버캐'라는 말도 있습니다. 방언으로 버케, 버켕이라고도 하는데, 액체 속에 녹아 있던 소금기가 엉겨 생긴 찌끼를 말합니다. 소금버캐나 오줌버캐가 있습니다. 어떤 물건의 거죽에 소금기가 배거나 내솟아서 허옇게 엉긴 조각은 '소금쩍'이라고 합니다.

3)주위에서 오늘 거하게 한잔했다는 말을 자주 듣습니다. 거한 뒤풀이 술자리라는 말도 하고, 접대술을 한 차례 거하게 마셨다고도 합니다. 이때 쓰는 '거하다'는 말은 '아주 넉넉하다'는 뜻을 가진 '건하다'로 바꿔야 합니다.

40. 참외에 대한 말

일요일, TV를 켜고 자리에 앉는다. 요즘 즐겨 보는 동물 농장 때문이다. 거리에 사는 고양이와 개들이 등장한다. 자기 자식처럼 동물을 키우는 사람들도 나온다. 오늘은 마트에 사는 고양이가 나왔다. 좁은 통로, 위험한 벽을 지나 마트에 침입해 사료포대를 뜯는다. 고양이라고 생각이 없고 감정이 없는 것이 아니었다. 알고 보니 새끼를 가진 어미 고양이었다.

미셸 투르니에의 '상상력을 자극하는 시간'을 보면 개와 고양이는 많이 다르다. 고양이는 사람에게 도움이 되는 행동을 배우지 않는다. 개처럼 친구를 만나러 다니지 않는 독립적인 존재다. 가축이 아니라 길들여진 야생동물에 가깝다. 암코양이는 새끼를 집 밖에서 낳아 한 놈씩 사람이 사는 집으로 데리고 들어온다고 한다. 그런가 하면 개는 사람이 시키는 대로 고분고분하다. 개는 사람에 대한 헌신적인 사랑으로 인해 고통을 겪기도 한다. 추악하고 괴물 같은 종자를 만드는 개 사육자들도 있다.

한국에서 개로 산다는 것은 어떤 모습일까? '아무도 미워하지 않는 개들의 죽음'이라는 경향신문 서평을 읽는다.

개에 관심이 전혀 없던 저자는 우연히 한 남자가 생일선물로 주었던 치와와 '피피'를 입양한다. 이후 피피의 과거나 미래, 한국에 사는 수많은 개에 대해 생각하게 된다. 이후 번식장, 경매장, 보호소, 개농장, 도살장을 취재하고, 버려진 개들도 심층 인터뷰한다. 한국에서 개로 산다는 것은 끔찍하고 고통스러워 보인다. 번식업자들은 더 작은 강아지를 만들기 위해 개들을 여러 차례 근친교배 시키고, 경매장에서 거래되는 개들은 개소주, 영양탕용으로 헐값에 팔려 나간다.

이번에는 **참외**에 대해 알아보았다.

◆ 감참외: 속이 잘 익은 감같이 붉고 맛이 좋은 참외

◆ 배꼽참외: 꽃받침이 떨어진 자리가 유달리 볼록 나온 참외 = 배꼽쟁이외

◆ 꾀꼬리참외: 색이 노랗고 위아래로 푸른 줄이 그어진 참외

◆ 개똥참외: 길가나 들 또는 밭둑 같은 데서 저절로 나서 자란 참외

◆ 골참외: 껍질이 푸르고 살은 초록색이며 모양은 길고 골이 진 참외

- 왜골참외: 골이 움푹움푹 들어간 참외
- 개구리참외: 껍질에 개구리의 등 같은 얼룩점이 있고 속은 달고 약간 붉은 참외

두런두런 궁시렁궁시렁

1) 옷깃만 스쳐도 인연이라고 합니다. 불가에서 나온 말로, 아주 가벼운 접촉이라도 다 전생에서부터 이어져 온 인연이라는 뜻입니다. 그러나 '옷깃'은 저고리나 두루마기, 양복의 목에 둘러댄 부분으로 아주 친한 관계가 아니고는 스칠 수 없습니다. 오다가다 슬쩍 스칠 수 있는 옷의 부위는 '옷자락'밖에 없습니다.

2) 나이 드신 노인들은 날씨가 흐리고 비가 오면 허리 등이 더 쑤시고 아프다고 합니다. 이를 류머티스라고 하는 분들이 있는데 '류머티즘'이 맞습니다. 류머티즘은 뼈, 관절, 근육 따위가 단단하게 굳거나 아프며 거동하기 곤란한 증상을 통틀어 이르는 말입니다. 여기에 관절류머티즘, 근육류머티즘, 류머티즘 계열이 있습니다.

3) 관상을 볼 때 코끝 양쪽으로 둥글게 방울처럼 내민 부분에서 재물운을 봅니다. 흔히 콧망울이라고 잘못 부르는데 '콧방울'이 바른 표현입니다.

41. 김치에 대한 말

잔디밭에 들어가지 마시오, 라는 표지판. 언제부터인가 그 금지는 당연하다고 생각하고 지켜왔다. 알고 보니 잔디밭은 권위의 상징이었다. 잔디밭의 넓이와 질이 그 집의 부와 지위를 말해주었던 것. 아무것도 생산하지 않고, 동물을 풀어놓을 수도 없는 잔디밭. 가난한 농부들은 잔디 따위에 귀중한 땅과 시간을 낭비할 여유가 없었다. 호모데우스를 보면 집이나 건물 입구에 잔디를 심기 시작한 것은 중세 말 프랑스와 영국 귀족들이었다. 잔디밭에서 중요한 축하연과 사회적 이벤트가 열렸고, 그렇지 않을 때는 들어가서는 안 되었던 것이다.

궁전과 공작의 대저택, 의회와 대법원을 거쳐 자본가 계급도 잔디를 깔았다. 잔디 깎는 기계와 스프링클러가 발명되면서는 미국 수백만 가구가 마당에 잔디를 깔았다. 일요일 아침 예배가 끝난 뒤 혼신의 힘을 다해 잔디를 깎았고, 지난 200년 동안 잔디는 축구, 골프를 비롯한 스포츠 세계를 평정했고 사막에도 잔디가 깔렸다. 잔디는 요즘 미국에서 널리 재배되는 3대 작물로 매년 수십억 달러를 벌어들인다.

아파트에 사는 내게는 잔디를 심고 가꿀 마당이 없다. 유년 시절에는 어땠던가. 비 온 후에 발자국이 생기는 마당이 있어 술래잡기하고, 여름 저녁이면 모깃불을 피우고 평상에서 수제비를 먹었다. 거기 누워 쏟아질 듯 매달린 하늘의 별을 보기도 했다. 우연히 우리의 삶에 들어온 잔디밭. 이것이 지금의 우리를 바꾸어 놓았지만 그것을 몰랐거나 아무것도 아닌 때도 있었다. 우리가 현재에만 얽매이지 않고, 과거를 알려고 한다면 과거에서 해방될 수도 더 나은 미래를 창조할 수도 있으리라.

이번에는 **김치에 대한 말**에 대해 알아보았다.

◆ 국물김치: 국물의 양을 많이 하여 담근 김치 = 물김치

◆ 백김치: 고춧가루를 쓰지 않거나 적게 써서 허옇게 담근 김치

◆ 동치미: 소금에 절인 통무에 끓인 소금물을 식혀서 부어 담근 겨울용 김치

◆ 나박김치: 무를 얄팍하게 네모지게 썰어 절인 다음, 고추·파·마늘·미나리 따위를 넣고 국물을 부어 담근 김치

◆ 벼락김치: 무나 배추를 간장에 절여 당장 먹을 수 있도록 만든 김치 = 급살김치

◆ 박김치: 덜 여문 박을 납작납작하게 잘게 썰어 담근 김치

두런두런 궁시렁궁시렁

1) 텔레비전을 연속극을 보면 도도한 여주인공을 향해 주위 여자들이 고상을 떨고 있네, 아니면 고상을 부리고 있네, 라는 대사가 나오는데, '품위나 몸가짐이 속되지 아니하고 훌륭하다'는 뜻이 '고상하다'입니다. 언행이 고상하다, 고상한 인격이다,처럼 씁니다. '도도하다'는 잘난 체하여 주제넘게 거만하다는 뜻입니다.

2) 사과나 고추처럼 '잎이나 열매가 가지에 달려 있게 하는 짧은 줄기'는 '꼭지'라고 합니다. 사과꼭지, 고추꼭지. 그렇지만 떡갈나무 따위의 열매를 싸고 있는 술잔 모양의 받침은 꼭지가 아니라 '깍정이'라고 합니다.

3)몹시 실없이 구는 사람을 보고 '저 사람 주책이다! 주책맞은 사람'이라고 말하는데 '주책을 떨다' 또는 '주책을 부리다'가 맞습니다. 이보다 자연스러운 '주책없다'는 말도 있는데 줏대가 없이 이랬다저랬다 하여 몹시 실없다는 뜻입니다.

42. 밥에 대한 말

텔레비전 채널을 돌리다가 '동치미'라는 프로그램에 머문다. 이번 주제는 '우리 늙으면 뭐 먹고 살지?'이다. 탤런트 현영은 연금보험을 6개나 들어 놓았다. 수입의 90퍼센트를 저축한다고도 했다. 이런 사람인 줄 알았더라면 젊었을 때 잘 해 볼걸, 제2의 직업이 필요하다 싶어 베트남으로 건너간 염경환은 아쉬워한다. 개그우먼 김경애는 간병보험까지 들어 놓았다고 자랑한다. 개그우먼 김영희도 보험을 들어놓았는데 보험금 수령인이 어머니로 되어 있다. 그러자 피부과 의사인 함익병이 하는 말. 다들 젊을 때 보험 들어 놓았다가, 나이 들어 걱정 없이 병원에 가거나 간병 받을 궁리하는데 어째서 건강하게 노후를 보낼 생각을 하지 않는가요, 절로 고개가 끄덕여진다. 다들 늙어서 뭘 먹고 살지, 또 건강하게 살지 불안한 모양이다.

통계청에서 발표한 2013년 남자 평균 수명은 78.5세, 여자 평균 수명은 85.1세. 지난 60년 한국인의 평균수명이 51.1세였는데 45년 만에 27.4년이나 더 산다는 얘기다. 평균수명만 놓고 본다면 선진국 수준에 진입했다고 볼 수 있다.

그러나 건강하게 산 기간이 어느 정도인지를 나타내는 지표인 '건강수명'은 평균수명과 큰 차이를 보인다. 2003년 우리나라 국민의 평균 건강수명은 67.8세로 평균수명과 거의 10년 가까이 차이가 난다. 죽기 전 10년 동안 질병이나 장애 등으로 인해 정상적인 활동을 하지 못한다는 말. 미국이나 일본과 비교해도 우리나라 사람들이 유난히 유병률이 높고 약에 의존하는 삶을 산다고 볼 수 있다. 골골하면서 오래 사는 건 진짜 사는 게 아니다. 이제라도 많은 연금이나 보험을 넣기 위해 애쓰는 대신 자신의 건강을 좀 더 보살피면 안 될까.

이번에는 **밥**에 대해 알아보았다.

◆ 아침곁두리: 아침과 점심 사이의 곁두리

◆ 눌은밥: 솥 바닥에 눌어붙은 밥에 물을 부어 불려서 긁은 밥

◆ 매나니: 반찬 없는 맨밥

◆ 되지기: 찬밥을 더운밥 위에 얹어 찌거나 데운 밥

◆ 잿밥: 불공할 때 부처 앞에 놓는 밥

◆ 국수원밥숭이: 흰밥과 국수를 넣고 끓인 떡국

◆ 사잣밥: 초상난 집에서 죽은 사람의 넋을 부를 때 저승

사자에게 대접하는 밥

두런두런 궁시렁궁시렁

1) 가을에 잘 익은 박을 타서 속을 파내고 삶아 겉을 긁어내어 응달에서 말리면 바가지가 됩니다. 이때 박이 덜 여물거나, 햇볕 또는 뜨거운 곳에서 갑작스레 말리면 바가지가 오그라들게 되는데, 이것을 '쪼그랑박' 또는 '오그랑쪽박'이라고 합니다.

2) 외출할 일이 있어도 서두르지 않고 있으면 누군가 '밍기적거린다'고 하는데 '뭉그적거린다'가 맞습니다. 나아가지 못하고 제자리에서 조금 큰 동작으로 자꾸 게으르게 행동하거나 느리게 비비대는 것이 '뭉그적거리다'입니다.

3) 땡땡이 블라우스는 우리말로 '물방울무늬 블라우스'입니다. 땡땡이는 일본말로 점 또는 얼룩, 물방울 모양을 이르는 말입니다. 다시마, 멸치 등을 끓여 우린 국물도 일본말인 '다시'가 아니라 '맛국물'입니다.

43. 배에 대한 말

노사연의 노래를 듣는 중이다. 우리 만남은 우연이 아니야. 그것은 우리의 바램이었어 잊기엔 너무한 나의 운명이었기에 바랄 수는 없지만 영원을 태우리. 자연이나 하느님을 숭배하던 시대도 아니고 혁명적인 과학의 시기에 우연을 말하다니, 어딘가 맞지 않을 수도 있지만 눈에 보이는 것이 전부는 아니다.

우리 만남은 우연이 아니야, 라는 경향신문 서평을 읽는다. 한눈에 반해 강렬한 사랑의 감정을 느꼈던 남녀가 10년쯤 세월이 흘러서도 여전히 서로를 그리워하는 경우가 있다. 그러다 예기치 않게, 생각지도 않았던 장소에서 마주칠 때가 있다. 그저 신기한 우연일까. 기차를 타고 집으로 돌아가던 남자의 눈앞에 누군가 익사하는 끔찍한 장면이 스쳐지나간다. 집에 도착한 남자는 손자가 호수에 빠져 죽을 뻔한 것을 알게 된다. 그 남자는 바로 유명한 정신분석학자 칼 구스타프 융이다. 그는 이 경험을 '동시성' 이론을 발전시켰다. 마음에 품고 있던 생각을 외부의 사건이 거울처럼 비춰주는 것이다.

문득 아버지가 돌아가실 때 꾸었던 고통스러운 꿈이 떠오른다. 아버지는 75세에 혼자 잠을 자듯 돌아가셨다. 좋은 아버지라고 부르기는 어려웠다. 말 한마디 따뜻하게 해 준 적 없고, 선뜻 나서서 도와준 적도 없었다. 삶을 포기하고 싶을 정도로 어려울 때 꾼 꿈도 있다. 추수가 끝난 논바닥에 누워 있는데 동이 트는 꿈이었다. 이 꿈 이후 나는 구사일생으로 살아 새로운 인생을 향해 나갈 수 있었다.

책에 따르면 우연이란 주변의 환경과 내면적 욕구의 합작품이다. 그러니 거저 우연히 아무렇게나 이루어진 일이란 없는 셈이다.

이번에는 **배**에 대해 알아보았다.

- 늘배: 옛날에, 강에서 짐을 나르는데 쓰던 돛단배
- 돛단배: 돛을 단 배 = 돛배, 범선
- 똑딱선: 발동기로 움직이는 작은 배
- 거룻배: 돛이 없는 작은 배 = 거루
- 나룻배: 나루와 나루 사이를 오가며 사람이나 짐 따위를 실어 나르는 작은 배
- 끌배: 강력한 기관을 가지고 다른 배를 끌고 가는 배 = 예인선
- 쪽배: 통나무를 쪼개어 속을 파서 만든 작은 배

= 일편주

두런두런 궁시렁궁시렁

1) 국물이 그리워지는 계절입니다. 건더기가 들어 있는 음식의 물이 '국물'입니다. 곰탕이나 설렁탕 등의 진한 국물은 '꽃물'이라고 합니다. 그런가 하면 간장이나 술 같은 것이 익은 뒤, 맨 처음에 떠낸 진한 국물은 '웃국'이라고 하고, 술항아리 안에 박아 놓은 용수 속에 괴어 있는 맑은 술은 '꽃국'이라고 합니다.

2)술이나 간장 따위의 두 번째로 떠낸 썩 맑지 않은 국물은 '후줏국'이라고 합니다.

3)술, 된장, 김치, 식초, 막걸리 같은 데에 허연 불순물이 끼는 것을 볼 수 있습니다. 이때 끼는 것은 곰팡이라고 하지 않고, '골마지' 또는 '발만'이라고 합니다. 그래서 된장이나 김치 같으면 소금을 더 두어서, 간장이나 식초·술 따위는 재차 끓여서 없애기도 합니다.

44. 국에 대한 말

지금은 사람들이 밥을 많이 먹지 않지만 전에는 많이 먹었다. 고봉으로도 먹었다. 한국 사람은 밥심으로 산다고 하지 않은가. 그런데 밥의 주성분인 탄수화물은 큰 힘을 쓰는데 적합하지 않다. 단백질이나 지방을 먹어야 하는데 여의치 않으니 밥을 많이 먹은 것이다.

밥은 별맛이 없다. 그러니 밥상의 다른 것으로 맛을 내야 한다. 국이나 찌개, 짠지나 젓갈이 소태처럼 짠 이유가 있다. 쌀밥에 간을 하려면 반찬 재료보다 싼 소금이 제격이고, 거기다 매운맛으로 혀를 마비시키면 균형이 맞는다. 이 맵고 짠 음식이 지금에 와서 성인병의 주범으로 지탄받지만 다 이유가 있다. 밥그릇 줄어드는 크기를 소금 줄어드는 속도가 따르지 못한 탓이다. 입맛은 하루아침에 만들어지거나 바뀌지 않지만 밥을 덜어내고, 소금기와 고춧가루를 줄이는 쪽으로 달라지게 될 것이다.

국어학자 한성운 님이 지은 <우리 음식의 언어>를 읽으니 음식에 대해 많은 것을 알게 된다. '누룽지'는 밥을 퍼내고 다시 불을 살짝 지펴서 긁어내는 것이다. 불이 세면 타서 맛이 없고, 약하면 잘 떨어지지 않는다. '눌은밥'은 누룽지 위에 물을 더 붓고 끓여 부드럽게 만든 것이다. 또 밥을 퍼낸 후 물을 붓고 다시 불을 지피면 숭늉이 만들어진다. 밥을 다 먹고 숭늉을 마시면 구수한 맛이 오래오래 입 안에 남아 있다.

예전에는 특별한 일이 없는 한 외식이라는 것이 없었다. 그래서 끼니때가 되면 집에 들어가야 하고, 가족 중 누군가 들어오지 않으면 가족 전체가 배고픔을 견디면 기다리기도 했다. 밥상에 둘러앉아 밥을 먹는 사람이 '식구', 즉 가족이었다. 그러나 요즘에는 혼자 밥을 먹는 사람이 늘어가고 있다.

이번에는 **국**에 대해 알아보았다.

◆ 곰국: 소의 뼈나 양, 곱창, 양지머리 따위를 넣고 진하게 푹 고아서 끓인 국

◆ 굴국: 굴에 밀가루를 묻혀서 달걀을 씌워 맑은 장국에 넣어 익힌 국

◆ 맑은장국: 쇠고기를 잘게 썰어 양념한 다음 맑은 장물에 넣어 끓인 국

◆ 개장국: 개고기를 여러 가지 양념, 채소와 함께 고아 끓인 국

◆ 묵국: 반듯반듯하게 썬 녹말묵을 다진 후 달걀을 씌운 쇠고기나 닭고기와 함께 끓인 장국 = 청포탕

◆ 뭇국: 무를 썰어 넣고 끓인 국

◆ 순댓국: 돼지를 삶은 국물에 순대를 넣고 끓인 국

두런두런 궁시렁궁시렁

1) 한참 전에 김수현 극본의 <사랑이 뭐길래>라는 연속극이 있었습니다. 이제는 시들해졌지만 한참 인기가 있었습니다. 이후 사랑이 뭐길래, 돈이 뭐길래, 라는 말을 자주 쓰는데, 사투리입니다. '사랑이 뭐기에', '돈이 뭐기에', 가 맞습니다.

2) 부모님이 나이 드시면 얼굴에 주름이 생기고, 자식들은 그걸 보고 마음 아파합니다. 눈가나 살가죽이 짓무르고 진물이 괴어 있기도 한데 이는 '잔물잔물'입니다.

3) 미지근한 소금물 항아리에 볏짚단을 풀어 넣고, 볏짚 사이사이에 땡감을 박아 따뜻한 아랫목에 하루 이틀 묻어 두면, 그 땡감은 얼굴이 알금뱅이인 '침시'가 됩니다. 소금물이 떫은맛을 우려낸다고 해서 '우린감'으로도 부릅니다.

45. 국·찌개·구이에 대한 말

솔직한 사람이 좋아요. 정류장을 살짝 지나쳐 버스를 세울 때가 있는데 손님들을 보면 딱 두 가지예요. 미안합니다, 라고 인사하고 타는 사람, 아저씨 왜 그냥 지나가요, 라고 성내는 사람. 둘이 똑같이 잘못한 상황인데 미안하다고 말해주면 그 마음이 한 30분 가요.「나는 그냥 버스기사입니다」라는 책을 쓴 허 혁 저자의 채널예스 인터뷰를 읽는다.

그는 전주 전일여객 시내버스 기사가 된 지 5년 차. 하루 18시간씩 버스를 몰다 보니 수시로 천당과 지옥을 넘나들며 사람들을 본다. 없는 듯 살아야 하는 위치에서 보면 사람 됨됨이가 잘 보인다. 버스 기사로 일하면서 가장 화가 많이 날 때는 생업을 조롱당하는 느낌이 들 때다. 낄낄대면서 버스카드를 찍 찍고 가는 학생들이나 강아지 부르듯 손을 까불거릴 때 화가 난다고 한다. 그러나 사막의 오아시스 같은 사람들도 있다. 안 타니까 어서 가라고 열렬하게 손을 저으시는 영감님, 정류장 뒤로 몸을 숨겨 주는 할머니가 있다.

승객들이 지켜 주면 좋을 승차 태도도 소개해 준다. 승강장 인도 밑으로 내려오지 말고, 차가 완전히 멈추기 전에

버스로 달려들지 말 것, 자신이 탈 버스가 오면 가볍게 손을 들 것, 노약자와 같이 버스에 오를 땐 맨 나중에 탈 것, 수고한다는 인사는 마음이나 몸으로 할 것, 하차할 때 벨은 되도록 빨리 누르는 것이 좋다고 한다.

그에게는 출산할 때 저산소증으로 태어나서 지적장애 2급인 딸이 있다. 올해 26세가 되었는데, 지금은 바리스타로 아르바이트를 한다. 그 딸이 선문답처럼 힘들게 시내버스를 모는 아빠에게 노력하지 말고 그냥 버스를 즐겨, 라고 말하기도 한다고.

이번에는 **국·찌개·구이에 대한 말**에 대해 알아보았다.

◆ 너비아니: 얄팍하게 썰어 다져서 갖은양념을 하여 석쇠에 구운 쇠고기

◆ 박국: 덜 여문 박을 채 쳐서 끓인 맑은 장국

◆ 묵물국: 묵물에 나물을 넣고 끓인 국

◆ 얼간구이: 소금을 조금 뿌려 구운 생선

◆ 알찌개: 생선 알에 갖은양념을 하고 계란을 풀어 끓인 찌개

◆ 왁저지: 굵게 썬 무와 고기, 다시마, 명태 같은 생선을 넣고 끓여 고명을 얹은 찌개

두런두런 궁시렁궁시렁

1) 이탈리아 음식 하면 피자와 스파게티가 떠오릅니다. 그렇다면 파스타는 뭘까요? 스파게티는 파스타이지만 파스타가 스파게티는 아닙니다. 밀가루 반죽을 여러 가지 모양으로 만든 것을 '파스타'라고 하고, 국수처럼 뽑아낸 것을 '스파게티'라고 합니다.

2) 요즘 잘생긴 남자 연예인 중에 박보검이라는 이름이 자주 방송에 나옵니다. 박보검은 누가 보아도 멋진 모습이라 인기가 많은데, 우리말로는 '끌밋하다'고 합니다. 키가 크고 헌칠하다는 뜻입니다.

3) 아침에 밥이나 빵 대신 건강식으로 선식을 많이 먹는데, 선식의 기원은 누가 뭐래도 미숫가루입니다. 찹쌀, 멥쌀, 보리쌀을 쪄서 말린 후 다시 볶아 가루로 만든 음식입니다. 또 미숫가루를 물에 탄 음료는 미수라고 합니다.

46. 덮개·깔개·싸개에 대한 말

장에 가는 길이다. 노포 오시게 장처럼 2일 7일, 아파트 옆에 서는 오일장이다. 들머리에 채소나 콩을 가지고 나온 마을 할머니들이 있다. 장은 피라칸다 유치원 울타리와 함께 왼쪽으로 구부러진 저쪽이다. 족발집이 맨 앞이다. 어머니와 함께 족발을 파는 딸은 이십 대로 보이는데 장사꾼이 다 되었다. 족발 하나 사 가세요! 반찬을 파는 육십 대 아저씨는 반대편이다. 김치나 젓갈뿐 아니라 피클이나 콩잎 깻잎도 판다. 이어 채소를 파는 뚱한 여자, 도넛을 파는 사이좋은 부부도 있다. 한동안 이곳에서 만든 도넛, 고로케, 찐빵, 꽈배기를 사 먹었다. 장은 크지 않다. 쇠락한 전통처럼 졸아붙었다. 양말이나 속옷을 파는 가게와 생선 파는 남자가 끝자락이다. 올 때마다 고향 인월장이 생각난다. 고향 집에서 장까지는 삼십 리 길. 대부분 걸어서 장까지 갔고, 경운기를 타기도 했다. 만날 일이 있으면 장터가 바로 약속 장소였다. 옷이나 나일론 양말, 지리산 약초, 농기구나 곡식을 팔았던 지리산 부근 오일장. 크기가 서창장쯤 될까. 거칠고 투박해 개화적인 맛은 없지만 국수 먹던 혼인날 같았다. 그런데 서구와 자본주의에 눈멀어 편리하고 수려한 것만을 좋은 나머지 소박하고 후줄근한 것은 구부러진 길 저쪽으로 밀어내 버렸다. 고작 사십 년 전 일이다.

드디어 장의 끝자락, 천막이 쳐진 주막에 앉는다. 고향 생각나면 뭐가 좋을까요? 파전에 막걸리가 좋지예. 쾌지나 칭칭 나네, 처럼 주모 목소리는 구성지고, 사투리에는 고향 아지매 같은 정이 묻어난다. 자주 안 오고예? 오늘도 노래 한 곡 해야지예. 일요일과 장날이 겹쳐야만 올 수 있는 이곳. 막걸리 한 잔 흥이 오르자, 이미자의 동백 아가씨와 섬마을 선생님을 연달아 부른다. 그 옛날 아버지가 그랬던 것처럼.

이번에는 **덮개·깔개·싸개에 대한 말**에 대해 알아보았다.

◆ 겉싸개: 물건을 여러 겹으로 쌀 때 겉은 싸는 싸개

◆ 깔개: 눕거나 앉을 곳에 까는 물건

◆ 깔찌: 밑에 깔아 괴는 물건

◆ 꺼펑이: 물건 위에 덧씌워서 덮거나 가리는 물건을 통틀어 이르는 말

◆ 두껍; 가늘고 긴 물건의 끝에 씌우는 물건

◆ 보자기: 물건을 싸서 들고 다닐 수 있도록 네모지게 만든 뚜껑

◆ 장독소래기: 장독을 덮는, 오지나 질 따위로 만든 뚜껑

두런두런 궁시렁궁시렁

1) 사극에 보면 여자들이 외출할 때 머리 위에 무얼 쓰는데, 이때 머리 위에 쓰는 수건, 장옷, 너울 따위를 통틀어 '머리쓰개'라고 합니다. 또 '머릿수건'도 되고, '머리처네'도 됩니다. 자줏빛 천으로, 장옷보다 짧고 소매가 없는, 시골 여자들이 나들이할 때 쓰던 쓰개가 '머리처네'입니다.

2) 분하거나 미워서 매섭게 쏘아 노려보는 눈을 '도끼눈'이라고 합니다. 매섭게 노려보는 눈의 모양이 도끼머리처럼 세모가 졌다고 해서 비유적으로 이르는 말입니다.

3) 맛있는 벌교 꼬막이 자주 입에 오르내리는데, 꼬막은 '껍질'이 아니라 '껍데기'입니다. '껍데기'는 단단한 물질이고, '껍질'은 주로 딱딱하지 않은 물체의 겉을 싸고 있는 질긴 물질입니다. 굴 껍데기, 달걀껍데기, 귤 껍질, 양파 껍질, 사과 껍질 등.

47. 길·다리·고개에 대한 말

　어딘가 허전하고 무엇인가를 빠뜨린 것 같다. 아무리 생각해도 알 수가 없다. 사랑하던 여자로부터 실연을 당한 것처럼 가슴 한구석이 텅 비인 것 같기도 하다. 그러다 집히는 기억이 있다. 할아버지 한 분이 떠오른다. 그는 집 앞상가에서 할머니와 함께 슈퍼를 하고 있었다. 아침 일찍 문을 열고 자정에 문을 닫는 슈퍼였다. 허연 머리에 주름진이마를 볼 때마다 나이 많은 분이 고생이라고 생각했다. 아침에 출근할 때 담배를 사러 자주 거기 들렀다. 장사는 잘되세요? 물으면 할아버지는 웃으며 대답했다. 대형마트가들어서기 전에는 그래도 괜찮았어요. 담배도 팔고 술도 팔고 화장지나 세제도 팔고. 할아버지 가게 벌이가 시원찮다는 생각에 마음이 쓰였다. 하지만 한두 사람이 세상을 바꾸기는 힘들다. 대형마트 규제나 의무 휴일제 등 제도가 나온것만 해도 다행이었다. 한 번은 아이가 아파 밤중에 해열제를 사러 나간 적이 있었다. 의약분업이 실시된 후 동네약국은 여덟 시만 되면 문을 닫았다. 그런데 슈퍼에 비상약을구비해 놓고 있는 것이 아닌가. 택배를 부탁해서 받은 일도있었다. 경비실이 없는 아파트라 택배를 부탁했더니 할아버지는 싫은 기색도 없이 택배를 받아주었다. 그때 고맙다고 말했어야 했는데 말하지 못했구나. 그래서 마음이 이리 허전한 거야. 그 뒤 열흘이 지났을까. 슈퍼 앞을 지나다 보니 상중이라고 쓰여 있다. 10일 후 문이 열렸는데 할머니 혼자 슈퍼를 지키고 있다. 할아버지는 어디 가셨습니까? 그 말에 할머니는 눈물을 글썽이며 말했다. 영감님이 돌아가셨어요. 자는 듯이 스르르 가셨어요. 라디오 여성시대 사연에 명치가 저린다.

이번에는 **길·다리·고개에 대한 말**에 대해 알아보았다.

- 가풀막 : 몹시 가파르게 비탈진 곳
- 고개티 : 고개를 넘는 가파른 비탈길
- 고샅 : 시골 마을의 좁은 골목길, 또는 골목 사이
- 굴다리 : 길이 교차하는 곳에서, 밑에 굴을 만들고 그 위로 다닐 수 있게 만든 다리
- 노루목 : 넓은 들에서 다른 곳으로 이어지는 좁은 지역
- 벼룻길 : 아래가 강가나 바닷가로 통하는 벼랑길
- 복찻다리 : 큰길을 가로질러 흐르는 작은 개천에 놓은 다리

두런두런 궁시렁궁시렁

1) 장터 어디선가 뻥, 하는 소리가 나면 사람들은 깜짝 놀라 귀를 막습니다. 이제는 보기 힘들어졌지만 쌀, 감자, 옥수수 따위를 통에 넣고 밀폐하고 가열하여 튀겨낸 것이 '뻥튀기'입니다. 튀겨낼 때 '뻥'하는 소리가 난다고 해서 붙여진 이름입니다. '강냉이'는 옥수수를 말린 것이 아닐까 싶지만 '옥수수'와 같은 말입니다.

2) 시원한 여름이면 생각나는 '냉면'은 사투리가 없습니다. 전국 어디를 가도 다 '냉면'이라고 합니다. 냉면의 본고장은 북쪽으로, 평양냉면과 함흥냉면은 물냉면과 비빔냉면으로 구별되기도 합니다. 평양냉면은 다소 싱겁지만 시원한 맛의 '물냉면'이고, 함흥냉면은 새콤달콤한 '비빔냉면'입니다.

3) 아무 빛깔이 없음을 이르는 '무색(無色)'도 있지만, 물감을 들인 빛깔도 '무색'이라고 합니다. 그러고 보면 한국 축구 선수의 유니폼은 울긋불긋한 무색입니다.

48. 눈에 대한 말

열매와 잎이 밤나무와 비슷한 나무에게 어떤 이름을 붙일까. 같은 참나무과로 가시는 없지만 까만 견과류 열매가 밤과 비슷한 나무가 있었다. 밤나무 대접을 해 달라고 애원하는 이 나무에게 인심 좋은 분은 말한다. 그래, 너도 밤나무라고 해. 그래서 '너도밤나무'가 되었다. 그 옆에 잎은 비슷하지만 붉은 열매가 달리는 나무가 있었다. 밤나무가 유명해지자, 이 나무도 그분에게 달려가 애원했다. 저도 밤나무라고 불러 주면 안 되나요? 인심 좋은 분은 말했다. 좋아, 넌 '나도밤나무'다.

'참'과 '개'를 붙여 식물의 이름을 붙이는 방법도 있다. 진짜와 가짜, 좋은 것과 나쁜 것을 구별하기 위한 이름이다. 참외, 참새, 참나물, 참나무의 반대편에 개살구, 개복숭아, 개나리, 개미나리가 있다.

'우리 음식의 언어'라는 책을 읽다 보니 새로운 것을 하나씩 알게 된다. 과일의 대표인 사과는 본디 제사상에도 오르지 않고 제대로 된 이름도 없다. 홍동백서, 조율이시 속에 사과는 없다. 19세기 말에나 사과가 들어온 탓이다. 우리가 아는 '능금'이 야생이라면 사과는 과수용으로 개량된 것.

'임도 보고 뽕도 딴다'는 말도 있는데 이때 뽕은 뭘까. 마약수사 뉴스를 자주 보았다면 당연히 히로뽕이나 코카인을 떠올린다. 뽕나무는 본래 잎을 키워 누에를 먹이는 것이 목적이지만, 여름 막바지에 빨갛던 열매가 자주색으로 변하면 맛있는 간식거리가 된다. 이 뽕나무 열매를 '오디'라고 한다. 방언에서는 오돌개, 오동애, 올롱, 옷똘개라고도 한다. 이와 비슷한 것이 '복분자'다. 먹으면 정력에 좋아 오강단지가 뒤집어진다는 이름이 붙었지만, 실상 오줌 줄기는 정력과는 별 관계가 없다고 한다. 과유불급이라는 말처럼 몸에 좋다고 지나치게 먹는 것은 위험하다. 모든 식물은 나름대로의 독성이 있다.

이번에는 **눈에 대한 말**에 대해 알아보았다.

- 가랑눈: 조금씩 잘게 내리는 눈
- 그믐치: 음력 그믐께에 내리는 비나 눈
- 눈꽃: 나뭇가지 따위에 꽃이 핀 것처럼 엉긴 눈이나 서리
- 눈안개: 눈이 내릴 때 마치 안개처럼 자욱하게 보이는 상태
- 도둑눈: 밤사이에 사람들이 모르게 내린 눈

◆ 만년눈: 아주 추운 지방이나 높은 산지에 언제나 녹지 않고 쌓여 있는 눈

두런두런 궁시렁궁시렁

1) 요즘은 하늘을 자주 보지 않지만, 예전에는 달을 보며 님 생각을 하거나 소원을 빌기도 했습니다. 달이 막 떠오르는 무렵은 '달돋이'고, 그 반대로 달이 막 지려는 무렵은 '달넘이'가 됩니다. 초승달이나 그믐달 따위와 같이 갈고리 모양으로 몹시 이지러진 달은 '갈고리달'이라고 합니다. 그리고 초생달이 아니라 '초승달'이 맞습니다.

2) '조가비'라고 하면 감칠맛 나는 이름에 저절로 바닷속에서 움직이는 조개를 떠올리게 됩니다. 그러나 조가비는 살아있는 조개가 아니라 '조개껍데기'입니다.

3) 강원도 음식에 '감자옹시미'와 '콧등치기'가 있는데, '옹시미'는 '새알심'의 강원도 방언입니다. '콧등치기'는 국숫발이 뻣뻣하여 후루룩거리며 먹으면 국숫발이 콧등을 친다고 하여 붙여진 이름입니다.

49. 눈에 대한 말 2

어쩌다 할머니 할아버지들이 하시는 말씀. 이렇게 좋은 세상을 보지 못하고 죽은 분들이 참 불쌍해. 그렇기는 한데 싶어 <사피엔스>라는 책을 읽어 본다. 어느 틈엔가 한국에 들어온 자본주의는 생존을 위해 끊임없이 생산량을 늘려야만 한다. 하지만 회사에서 물건을 만드는 것만으로는 충분치 못하다. 누군가 제품을 사주어야 한다. 그렇지 않으면 제조업자와 투자자는 함께 파산하고, 노동자들은 직장을 잃을 것이다. 이런 파국을 막으려면 어떻게 해야 할까. 기업들이 생산하는 신제품이 무엇이든 사람들이 항상 구매하도록 정신교육을 시켜야 한다. 바로 이 윤리가 '소비지상주의'다.

지금껏 사람들은 풍요롭게 산 적이 없었다. 그래서 검소하게 살고 아끼는 것이 미덕이었다. 사람들은 사치품을 멀리하고, 음식을 버리지 않았으며, 바지나 양말이 해어지면 꿰매 입었다. 밥 한 알도 흘리지 못하게 하는 가정교육이 왜 생겼겠는가. 소비지상주의는 이런 사람들을 어떻게 설득했을까. 소비에 빠지는 것은 참 좋은 것이며, 검소나 절약은 자기를 억압하는 거라고 대중심리학을 동원해 매스컴에 떠들었다. 그 결과 많은 사람들에게 설득이 먹혔다. 그들은 자신도 모르는 사이에 필요하지도 않은 것까지 사는 훌륭한 소비자가 되었다. 빚을 내서 정말로 필요하지도 않은 자동차와 TV를 샀다. 먹는 것으로 보자면, 과거에 굶주림이라는 공포가 지배했다면 풍요로운 이 사회에서는 비만이 지배한다. 사람들은 너무 많이 먹고 다이어트 제품을 산다. 다이어트를 위해 소비하는 돈은 배고픈 사람을 먹여 살리고도 남는 액수다.

지금의 종교는 과거처럼 어렵지 않다. 부자는 계속 탐욕스러움을 유지한 채 더 많은 돈을 버는 데 시간을 소비할 것, 대중은 한 푼 두 푼 아끼고 절약할 것이 아니라 더 많은 물건을 구매할 것. 그래야만 죽어 천당이나 극락에 간다니까.

이번에도 **눈에 대한 말**에 대해 알아보았다.

- ◆ 눈발: 눈이 힘차게 내려 줄이 죽죽 져 보이는 상태
- ◆ 발등눈: 발등까지 빠질 정도로 비교적 많이 내린 눈
- ◆ 상고대: 나무나 풀에 내려 눈처럼 된 서리
- ◆ 설밥: 설날에 오는 눈을 비유적으로 이르는 말
- ◆ 소나기눈: 갑자기 많이 내리는 눈 = 폭설, 소낙눈
- ◆ 싸라기눈: 빗방울이 갑자기 찬 바람을 만나 얼어 떨어

지는 쌀알 같은 눈

• 진눈깨비: 비가 섞여 내리는 눈

두런두런 궁시렁궁시렁

1) 전에는 여름이면 길거리에 상자 같은 것을 메고 아이스케키! 외치며 얼음과자를 파는 남자들이 많았습니다. 더위에 지친 아이가 돈을 내면, 스티로폼이나 나무로 된 상자를 엽니다. 드라이아이스의 하얀 김이 솟아오르고, 그 안에서 집어 올린 건 막대기 빙과. 딱딱하다는 뜻의 '하드'입니다. 나중에 이것은 누가바, 보석바, 쌍쌍바처럼 무슨무슨 '바'라고 불리는데, '아이스케키'는 '아이스케이크'의 일본어식 발음입니다.

2) 진짜 아이스크림은 원뿔이라는 뜻의 '콘'이라는 이름을 달고 나옵니다. 12시에 만나요, 로 대박을 친 부라보콘, 떠먹는 아이스크림 빵빠레와 퍼먹는 아이스크림 투게더가 나오게 됩니다.

50. 젖에 대한 말

혈액암으로 고생하는 남승홍 시인이 카톡에 글을 올렸다. '관 속에 누웠을 때'라는 글이다. 중앙일보 백성호 차장이 쓴 글이라고 했다. 관 속에 들어가 본 적 있으세요? 죽어서 들어가는 관 말입니다. 취재차 갔다가 관 안에 누워 본 적이 있습니다. 관 속에 들어가려고 사람들이 줄을 섰더군요. 기분이 참으로 묘했습니다. 들어갔다가 나오는 사람마다 눈물을 글썽거렸습니다. 곁에 있던 그리스도상 아래 무릎을 꿇고 입을 맞추기도 하더군요. 저도 줄을 섰고, 곧 차례가 왔습니다. 신부님이 관 뚜껑을 열었습니다. 계단을 밟고 제단 위에 올랐습니다. 한 발 한 발 관 속에 넣었습니다. 위를 보고 눕자 뒤통수가 바닥에 닿았습니다. 잠시 후 관 뚜껑이 스르르 닫히더군요. 틈새로 빛이 조금 들어오더니 그 위에 천이 덮이며 깜깜해졌습니다. 눈을 떠도 어둠, 눈을 감아도 어둠. 이런 게 무덤 속이구나 싶더군요. 가족, 친구, 직장은 어디에 있지? 내가 사랑하는 모든 것은 관 밖에 있었습니다. 아, 이런 거구나, 죽는다는 게. 세상 어떤 것도 이 안으로 가져올 수 없구나. 숨을 거두었으니 이 몸도 곧 썩겠구나. 그럼 무엇이 남나? 아, 그렇구나! 마음만 남는구나.

그게 영혼이겠구나. 한참 지났습니다. 관 뚜껑이 열렸죠. 눈이 부시더군요.

우리는 늘 잊고 삽니다. 언젠가 이곳을 떠나야 하고, 알던 모든 이와 이별해야 한다는 것을. 그러나 죽음이란 평등합니다. 가난한 집 처마에도 호화로운 집 발코니에도 학식 많은 사람의 창에도 문을 두드립니다. 조금 더 시간을 달라고, 못 간다고 말하기 곤란합니다. 때가 되면 무언가를 하다가도 곧 손을 놓고 죽음의 사신을 따라야 합니다. 그 순간이 내게 아무리 귀중하고 행복한 순간이라도 말입니다. 서글프지만 어찌할 수 없는 사람으로 태어난 운명이지요.

이번에는 **젖에 대한 말**을 알아보았다.

- ◆ 젖떼기: 젖을 뗄 때가 된 어린아이나 어린 짐승
- ◆ 젖내기: 아직 젖을 먹는 어린 것
- ◆ 젖동냥: 남의 젖을 얻으러 다니는 일
- ◆ 젖꽃판: 젖꼭지 둘레로 퍼져 있는 거무스름한 부분
- ◆ 젖주럽: 젖이 모자라 잘 자라지 못하는 상태
- ◆ 젖송이: 젖 속에 몽글몽글하게 엉긴 부분

두런두런 궁시렁궁시렁

1) 배가 불러 거동이 불편한 임산부에게 자리를 양보해야 합니다라는 말은 맞지 않습니다. 임산부(姙産婦)는 '임신부'와 '산부'가 합쳐진 말입니다. 애를 가져서 배가 부른 여자는 임신부이고, 애를 갓 낳은 여자는 산부, 즉 산모입니다. 그러니 임산부가 담배를 피우면 배 속의 아기에게 해롭다는 말도 맞지 않습니다. 이때는 임신부입니다.

2) 땅에 짚을 때마다 고리들이 흔들려 소리를 내는, 스님들이 짚고 다니는 지팡이는 '석장'입니다. 선사들이 좌선할 때나 설법할 때 쓰는 지팡이는 '주장자'입니다.

3) 갈참나무, 졸참나무, 물참나무, 떡갈나무 같은 낙엽활엽교목인 참나뭇과 열매를 통틀어 '도토리'라고 하고, 그것 때문에 '도토리나무'라고도 합니다. 별도로 상수리나무 열매는 '상수리', 졸참나무 열매는 '굴밤'이라고 합니다.

51. 신체 부위에 대한 말 3

고물상에 갔다가 우연히 책 한 권을 얻었다. 갈색 표지의 '세계사 편력'이라는 책이다. 표지를 넘기자 작은 문구가 나온다. 이 책은 인도의 민족해방 지도자 네루가 여섯 번째 감옥 생활 중 세계사 교육을 위해 무남독녀 13살짜리 딸, 인디라 간디에게 쓴 편지를 모은 글이다. 책장을 넘기다 보니, 그간 배운 서양 중심 역사는 아니다.

프랑스 공포정치 편을 펼친다. 로베스피에르가 타도되기 전, 16개월 동안 4천여 명이 기요틴(단두대)에 의해 희생되었다. 혁명 정부의 상황은 어땠을까. 외국군대의 위협이나 적과 내통하는 자들에 둘러싸여 있었다. 탁월한 라파예트 장군의 반역에 젊은 지도자들은 거의 신경과민이었고, 이 시기 영국과 미국의 형법이 얼마나 야만적이었는지도 비교해 준다. 두 나라는 재산범죄에 대해 사소한 것이라도 교수형을 시켰다. 이때 처형된 사람이 공포정치로 죽은 사람보다 더 많다. 혁명정부의 방법은 솔직하고 직선적이고 성급하고 잔혹했지만 속임수는 없었다. 그에 비하면, 수구반동 정부는 '법과 질서'라는 말을 좋아했다. 그것의 미명 하에 언론을 탄압하고, 제멋대로 체포하고, 고문했다. 과거 한국

독재정부가 한 것과 다를 바가 없다. 그들이 표방하는 것은 '자유'지만 특권층 멋대로 행동하는 자유이며, 정의를 외치지만 합법적으로 많은 국민들을 희생시켜 자기 배를 채우려는 사회질서에 지나지 않았다. 어쩌면 예나 지금이나 변한 게 없을까. 지금 특권층이 공수처법을 거부하는 것은, 어쩌면 당연한 것이다.

기요틴 공포정치는 생각만 해도 무섭다. 그 공포가 크게 가슴에 자리 잡는 것은 왜일까. 죄 없는 사람들도 희생되었지만, 대부분 소수 상류층이 기요틴에 목을 들이밀었는데 말이다. 네루는 말한다. 부자나 높으신 특권층이 곤경에 빠지면, 이상한 일이지만 우리는 습관처럼 더 마음 아프게 생각한다고.

이번에는 **신체 부위에 대한 말**을 알아보았다.

- 턱자가미: 아래턱과 위턱이 맞물린 곳
- 젖부리: 젖꼭지의 뾰족한 부분
- 조리자지: 오줌을 자주 누는 자지
- 새끼똥구멍: 항문 위의 조금 옴폭 들어간 부분.
- 비역살: 궁둥이 쪽의 사타구니 살
- 범아귀: 엄지손가락과 집게손가락의 사이

◆ 자라자지: ① 양기가 동하지 않았을 때에 자라목처럼 바짝 움추러드는 자지 ② 보통 때에는 작아도 흥분하면 매우 커지는 자지

◆ 배꼽노리: 배꼽이 있는 언저리나 그 부위

◆ 불두덩: 남녀의 생식기 언저리에 있는 불룩한 부분

◆ 불거웃(불것): 불두덩에 난 털

두런두런 궁시렁궁시렁

1) 횟집에 가면 아저씨가 날카로운 회칼로 생선을 여러 개의 작은 조각으로 얇게 베어 내서 접시에 담아옵니다. 이것이 바로 '저미다'입니다. 살을 저미다, 고기를 저미다 등. 그러나 꿀에 인삼이나 아몬드 따위를 넣어두는 것은 '재다'입니다.

2) 국이나 찌개, 한약 따위의 물이 증발하여 분량이 적어지게 하는 것은 '졸이다'입니다. 생선이나 무 같은 채소 따위를 양념하여 간이 충분히 스며들도록 바짝 끓이는 것은 '조리다' 입니다. 그래야 맛이 납니다.

3) 홍길동의 손에 탐관오리가 '죽임을 당했다'는 말은 멋지게 들리지만, 맞지 않습니다. 홍길동의 손에 탐관오리가 '죽음을 당했다' 또는 '죽었다'가 맞습니다.

52. 감·밤에 대한 말 3

나무야 나무야 겨울나무야 눈 쌓인 응달에 외로이 서서 아무도 찾지 않는 추운 겨울을 바람 따라 휘파람만 불고 있느냐. 유년 시절에 자주 불렀던 동요를 따라 부르다 나무는 살이 에이는 겨울을 어떻게 날까 궁금해진다.

나무는 매년 수십만 송이 꽃을 피운다. 꽃 한 송이는 수십만 개 꽃가루를 만들어 내고. 그러나 씨방 하나를 수정시켜 씨로 자라는 데 필요한 것은 꽃가루 단 한 톨. 곤충이나 바람에 의해 매년 지구의 땅 위에 수백만 개의 씨앗이 무차별적으로 아무 데나 떨어진다. 그중 5퍼센트도 안 되는 숫자만이 싹을 틔운다. 그중에서 또 5퍼센트만이 1년을 버틴다. 어린나무가 사는 것도 결코 호락호락하지 않다. 단풍나무처럼 부모가 보살핌을 주기도 한다. 매일 밤 땅속 깊은 곳에서 물을 끌어 올려 어린 나무에게 주는 것이다. 그러다 가을이 되면 나무들은 1년 내내 쌓아 온 공든 탑을 스스로 무너뜨린다. 이것을 실행하는 데는 일주일이면 충분하다. 하여튼 나무들은 속세의 보물을 모조리 땅으로 보내고 그것들은 썩어 분해가 된다. 그들은 안다. 어떻게 하면 내면의 보물과 영혼을 하늘에 쌓아 올릴지. 호프 자런의 <랩걸>중에 나오는 내용이다.

평생을 살아 봐도 늘 한자리 넓은 세상 얘기도 바람께 듣고 꽃 피는 봄 여름 생각하면서 나무는 휘파람만 불고 있구나. 지구상 대부분의 식물은 한자리에 서서 사건을 하나하나 견뎌내면서 시간여행을 한다. 그런 의미에서 겨울은 긴 여행이라고 할 수 있다. 영하의 날씨 속에 아무것도 입지 않고 사형선고 같은 3개월을 견뎌야 한다. 가문비나무, 소나무, 자작나무, 그리고 알래스카, 캐나다, 스칸디나비아, 러시아 등지를 덮고 있는 나무들은 6개월까지도 영하의 날씨를 견딘다. 하지만 이런 일을 해내면서도 몇억 년 이상 죽지 않고 살아내는 존경스러운 나무들.

이번에도 **감·밤에 대한 말**을 알아보았다.

◆ 돌감: 돌감나무의 열매. 작고 씨가 많아 품질이 낮다.

◆ 보늬: 밤이나 도토리 따위의 속껍질

◆ 연감: 물렁하게 잘 익은 감

　　　　= 연시, 연시감, 홍시(紅柿)

◆ 불밤송이: 채 익기도 전에 말라 떨어진 밤송이

◆ 아람: 밤이나 상수리 따위가 충분히 익어 저절로 떨어진 정도가 된 상태

- 외톨박이: 한 송이에 한 톨만 든 밤
- 쭉정밤: 속에 알이 들지 않고 껍질뿐인 밤

두런두런 궁시렁궁시렁

1) 동무들아 오너라 봄맞이 가자 너도나도 바구니 옆에 끼고서 달래 냉이 씀바귀 나물 캐오자. 어릴 적 배운 동요를 부른다. 남북 체제가 달라지며 우리는 '동무'라는 좋은 말은 쓸 수 없게 되었다. 북쪽에서 혁명을 위해 싸우는 사람을 일컫다 보니 '친구'라는 말만 쓰게 되었다. 인민이라는 말도 쓸 수 없어 '국민'이라는 말만 쓴다.

2) '조가비'라고 하면 감칠맛 나는 이름에 저절로 바닷속에서 움직이는 조개를 떠올리게 됩니다. 그러나 조가비는 살아있는 조개가 아니라 '조개껍데기'입니다.

3) 드라마에서 '…집안이 풍지박산이 났다'는 대사가 자주 나오는데, 사방으로 날아 흩어진다는 뜻의 한자어 풍비박산(風飛雹散)을 잘못 쓴 말입니다.

53. 손님 치르기에 대한 말

페이스북 친구 중에 양기원이라는 분의 글을 읽고 있다. 농촌지역의 인간관계에서 정치 성향, 취미, 종교, 학벌, 지식 등 이런 것은 중요하지 않다. 거의 모두가 혈연 지연이고, 사람 수가 적으며, 이래저래 만날 일이 많기 때문에 좋든 싫든 함께 어울린다. 초등학교 나오지 않은 무식한 사람도, 아첨하는 사람도, 말을 잘 둘러대는 사람도, 정치 성향이 진보인 소위 노빠와 문빠 좌빨도, 문재인과 조국, 전라도를 무지하게 싫어하고 저주하는 지만원 황교안 추종자도, 언행이 나빠 공자님이 지팡이로 때렸다는 원양(原壤) 같은 버릇없는 놈, 싫은 놈도 다 친구이다.

그분의 공개된 프로필을 본다. 독서, 글쓰기, 명상, 수행, 2019 전업농 은퇴 후 자급자족의 텃밭 농사. 사진을 보니 나이가 좀 드시고 머리가 허연 분이다. 그분의 글에 다시 눈을 둔다. …하지만 만나는 것이 꺼려지고 두렵기까지 한 친구들이 있다. 단 한 가지, 정치 문제 때문이다. 거창군 가조면은 보수 성향 국회의원을 다섯 배출한 지역답게 전국 어느 지역보다 보수적인 동네다. 그래서인지 요즘 절반이 넘는 지인들이 만나기만 하면 문재인 대통령 하야와 구속,

조국 장관 사퇴와 구속을 입버릇처럼 외친다. 극우 인사들이 시도 때도 없이 거리에서, 방송에서 외쳐대니 정말 하야하고 구속도 될 거라 믿는 것일까. 친구들 말에 나는 그저 듣기만 한다. 그런데 다음이 문제다. 한바탕 떠들고 나서 꼭 내 의견을 묻는다. "너는 어떻게 생각하느냐?"고. 나는 대답 대신 빙그레 웃고 자리를 뜬다. 뭐라고 마음에 안 들게 한마디 했다가는 친구가 버럭 소리를 지르고 한바탕 사달이 날 것임을 알기 때문이다. 전에는 정치 얘기로 흥분해서 핏대 세우는 일이 없었는데, 몇 달 사이 참 많이 달라졌다. 친구를 대하는 예(禮)조차 잊어버렸다. 무엇이 이들을 미치(?)게 만들었을까?

이번에는 **손님 치르기에 대한 말**을 알아보았다.

- 집들이: 이사한 후에 이웃과 진지를 불러 집을 구경시키고 음식을 대접하는 일
- 겪이: 음식을 차려 남을 대접하는 일
- 놉겪이: 놉(품팔이 일꾼)에게 음식을 주어 일을 치름
- 도르리: 여러 사람이 음식을 차례로 돌려가며 내어 함께 먹음. 또는 그런 일

- 일결: 크게 손님을 겪는 일
- 턱: 좋은 일이 있을 때 남에게 베푸는 음식 대접

두런두런 궁시렁궁시렁

1) 옛날 어머니들은 술을 담그려고 솔잎을 깔고 시루에 밥을 쪄내기도 했습니다. 그런데 술을 담그려고 찐 밥을 '고두밥'으로 잘못 아는 사람들이 많습니다. '고두밥'은 단순히 '아주 된 밥'이고, 인절미를 만들기 위해서나 술을 담그려고 찹쌀 또는 멥쌀 등을 물에 불려 시루에 찐 밥은 '지에' 또는 '지에밥'이라고 합니다.

2) 같은 해 같은 과에 학교를 다녔다고 하면 동기(同期)이며, 동기간이라고는 하지 않습니다. 동기간(同氣間)은 형제자매 사이를 말합니다. 기운이나 호흡이 느껴집니다.

3) 눈이 막 창문에 와 닿을 때는 '들이닿다'라고 합니다. 또 문을 열자마자 갑자기 눈보라가 들어온다면 '들이닥치다' '들이덮치다'라고 합니다. 그러나 누군가 몹시 빨리 달린다는 뜻으로 쓰일 때는 '들이닫다'라고 합니다.

54. 조림에 대한 말

초등학교 때 배운 노래를 불러 봅니다. 소나무야 소나무야 언제나 푸른 네 빛 쓸쓸한 가을날이나 눈보라 치는 날에도 소나무야 소나무야 언제나 푸른 네 빛. 전나무를 기리는 독일 민요가 꼭 우리 동요처럼 느껴진다. 그만큼 소나무는 오랫동안 우리 곁에 있었던 친구 같은 나무다. 우리말로는 '솔'이라 부른다. 한반도의 숲이 참나무로 천이되면서 가을이면 노란 참나무 낙엽이 지는 곳이 많지만 언제부터인가 선조들의 운치가 담긴 구불구불한 소나무가 조경수로 각광을 받고 있다.

만약 우리나라에 소나무가 없었다면 어려운 시기에 백성들이 수없이 굶어 죽었을 것이다. 비참한 시절에 백성들은 소나무 속껍질을 벗겨 목숨을 부지했다. 그 외에도 소나무의 덕은 아주 많다. 소나무꽃(송화)으로 다식을 만들고, 소나무 껍질은 끓여 먹고, 송기는 멥쌀가루에 버무려 먹고, 솔방울로 송실주를 만들고, 소나무로 지은 집에서 살고, 소나무로 불을 지폈고, 아기가 태어나면 금줄에 솔가지를 매달아 나쁜 기운을 막았다. 관도 소나무관을 최고로 치고, 소나무가 있는 산에 묻혔다. 태어나서 죽을 때까지 소나무 신세를 진 것이다.

소나무는 중국에는 없고 일본과 우리나라에만 자란다. 한자로는 적송이라고 하는데, 현대 식물학에 먼저 눈을 뜬 일본인이 세계에 소개하여 학명은 일본 붉은 소나무(Japanese red pine)이다. 소나무에 대한 관심은 조선 시대에 급격히 고조되었다. 소나무의 변하지 않는 지조와 충절, 꼿꼿한 선비의 이미지 때문이다. 조선 시대 궁궐은 모두 소나무로만 지었는데, 나무가 뒤틀리지 않고 벌레가 먹지 않으며 송진이 있어 습기에도 잘 견뎠기 때문이라고 한다. 소나무는 신선이 먹는 음식이라 하여 선식에도 들어가는데 솔잎의 옥시팔티민이라는 성분이 젊음을 유지시켜준다고도 한다.

이번에는 **조림에 대한 말**을 알아보았다.

◆ 닭조림: 닭고기에 간장과 소금을 치고 고명을 더하여 조린 음식

◆ 마늘잎조림: 풋마늘 잎을 기름에 볶다가 진간장을 치고 조린 반찬

◆ 맛살조림: 맛살을 간장에 조린 음식

◆ 북어조림: 북어를 토막 쳐서 파를 섞고 진간장에 조린 반찬

◆ 제육뼈조림: 돼지의 뼈를 잘게 토막 쳐서 간장에 조린 음식

◆ 표고조림: 표고를 굵직하게 썰어서 간장과 기름을 치고 살짝 조린 음식

◆ 비웃조림: 비웃(청어)를 토막 내어 간장이나 고추장 물에 조린 음식

두런두런 궁시렁궁시렁

1) 요즘은 손수 바느질하는 사람이 드물지만, 과거 성인 남자들은 군대에서 처음 바느질을 배워 군복을 꿰매 입었습니다. 해지거나 뚫어진 데를 깁거나 얽어매는 것이 '꿰매다'입니다. 그러나 단추는 꿰맨다고 하지 않고 '달아 입는다'고 합니다.

2) 감색(紺色)은 빠알갛게 익은 감과 전혀 상관이 없습니다. 남색(藍色)이 '쪽'이라는 풀에서 나온 '짙은 파란색'이라면, 감색은 '검은빛을 띤 남색'입니다. 어른들은 감색을 곧잘 '곤색'이라고 하지만 그것은 일본말입니다.

3) 우리가 나물로 먹는 '곤드레'는 '고려엉겅퀴'의 강원도 지방 방언입니다. 7~10월경에 자주색 꽃이 피며 어린잎은 식용하는 국화과의 여러해살이풀입니다.

55. 그릇에 대한 말

봄밤 무심히 흐르는 5월의 진한 꽃향기. 거기 연인들이 좋아하는 라일락 내음이 있다. 라일락 꽃향기 맡으면/ 잊을 수 없는 기억에/ 햇살 가득 눈부신 슬픔 안고/ 버스 창가에 기대 우네. 이문세의 감미로운 목소리가 어디서 들려오는 듯하다. 60년대에 유행했던 베사메 무초에도 이 꽃이 나온다. 베사메 베사메 무초/ 고요한 그날 밤 리라꽃 피는 밤에. '리라꽃'이 바로 프랑스어로 라일락, 우리말로는 수수꽃다리이다.

수수꽃다리라는 이름이 낯설지만, 수수꽃다리와 형제들은 모두 북방성 인자로, 황해도와 평안도 등에서 자라는 우리의 특산 식물이다. 그것도 모르고, 우리는 수수꽃다리, 라일락, 정향나무, 개회나무를 통틀어 그냥 라일락이라고 부르고 있다. 사실 두 나무는 모양이나 특성이 거의 비슷해 구분하기 힘들다. 굳이 구분해 보자면, 수수꽃다리가 라일락보다 잎이 더 크고 색이 더 진하며, 곁가지가 더 적다는 것.

5월 라일락이 피면, 독일에서는 이 시기를 '라일락 타임'이라고 부르며 축제 분위기에 젖어 든다. 아리따운 처녀들이 영원한 사랑을 찾아 라일락 꽃송이를 찾아다닌다는 것.

보통 라일락꽃은 끝이 넷으로 갈라졌지만, 간혹 다섯으로 갈라진 돌연변이가 있다. 그걸 삼키면 연인의 사랑이 변치 않는다는 것이다.

그런데 우리가 서양 라일락에 뒤지지 않는 수수꽃다리가 있는 것조차 모를 때, 외국에서는 이를 찾아내어 자기 나라로 가져갔다. 1917년에 미국의 윌슨이 금강산에서 가져간 나무가 와일드 화이어 등 세 개 품종으로 개발되었고, 1947년 미국 적십자 직원으로 온 사람이 북한산 백운대에서 채취한 털개회나무를 개발하여 '미스김 라일락'이라는 이름으로 우리나라에 되팔고 있다.

이번에는 **그릇에 대한 말**을 알아보았다.

- ◆ 대접: 위가 넓적하고 운두가 낮으며 뚜껑이 없는 그릇
- ◆ 다래끼: 대, 싸리, 칡덩굴 따위로 만든 아가리가 좁고 바닥이 넓은 바구니
- ◆ 굽달이: 굽이 달린 접시
- ◆ 고지: 누룩이나 메주 따위를 디디어 만들 때 쓰는 나무틀
- ◆ 고리: 고리버들의 가지나 대오리 따위로 엮어서 상자같이 만든 물건

◆ 동이: 흔히 물 긷는 데 쓰는 것으로 둥글고 배가 부르고 아가리가 넓으며 양옆으로 손잡이가 달린 질그릇

두런두런 궁시렁궁시렁

1) 회사나 병원 같은 곳에 있는, 차를 끓이거나 찻잔 따위를 부시기도 하는 공간을 탕비실이라고 부르는데 이는 일본말입니다. 탕비는 일본어 유와카시로 '물을 끓이는 주전자'라는 뜻입니다. '준비실'이나 '간이 주방'이라는 말이 더 낫습니다.

2) '공룡 발자국'이라는 말은 맞지 않습니다. 사람이 발로 밟은 곳에 남아 있는 자국을 '족적' 또는 '발자국'이라고 합니다. 그러나 짐승의 경우에는 발자국이 아니라 '자귀'라고 합니다. 멧돼지 잡으려고 자귀를 따라가는 것을 '자귀를 짚는다'고 합니다.

3) 먹은 음식이 소화가 안 되어 가슴이 묵직한 상태가 바로 '뭉클거리다'입니다. 감동적인 장면 같은 것을 경험하고, 슬픔이나 격함이 가슴에 맺혀 풀리지 않는 것이 있을 때는 흔히 하는 말로 가슴이 '뭉클하다'고 합니다.

작가의 말

해마다 수많은 신인 소설가가 등장하지만 오래 살아남는 경우는 드문데, 그 까닭은 무엇인가. 누구나 소설을 쓸 수는 있지만 ′직업소설가′로 사는 건 녹록지 않다는 증거다. 소설가로 살아남으려면 무명 시절의 가난에 대한 내구력을 보여야 하고, 소설 쓰기의 고독과 불확실한 미래에 대한 견인력의 시험을 통과해야만 한다. 시인이자 소설가인 장석주의 <슬픔을 맛본 사람만이 자두 맛을 안다>를 읽는 중이다.

무라카미 하루키는 ″아무튼 닥치는 대로 읽을 것, 조금이라도 많은 이야기에 내 몸을 통과시킬 것, 수많은 뛰어난 문장을 만날 것″을 권유하면서, 이것이 소설가에게 요구되는 '기초체력'을 다지는 훈련이라고 말한다. 생활비를 벌기 위해 일을 하며 날마다 묵묵히 글쓰기를 게을리 하지 않고, 동시에 필요한 '기초체력'을 다져야 한다. 이 첫 단계에서 많은 신인작가가 '앗, 뜨거워라'하고 비명을 지르면서, 자발적으로 이 직업군에서 떨어져 나간다. 첫 단계의 시험을 통과했다 하더라도 "소설을 쓰지 않고는 견딜 수 없는 내적인 충동, 장기간에 걸친 고독한 작업을 버텨내는 강인한 인내력"이 있음을 지속적으로 증명해야 한다. 예술가의 삶은 결코 쉽지 않구나 생각이 든다.

이번에는 <비생산적인 생산의 시간><데뷔의 순간>이라는 영화감독 지망생과 감독 데뷔 과정을 담은 정지혜 북 디렉터의 책 처방을 읽는다. 영화감독이 되기 위해서는 10년 정도의 지망생 기간을 거친다고 한다. 보통의 삶을 사는 것도 불안한데 그들은 어찌 살아가는 것일까. ─ 이렇게 사나 저렇게 사나 다 불안한데 왜 하고 싶은 일을 안 하고 사냐고요. 잘될 거라는 믿음은 없지만 그 일이 왜 이리 힘들까, 생각한 적은 없어요. 행복해지기 위해 영화를 하겠다고 결심한 순간, 욕망해서는 안 될 것들에 대해 미련을 갖지 않기로 했어요. 좋아하는 일을 평생 하고 싶은 이들의 말이다.

글을 쓰는 것에 회의가 들 때마다 쳐다보는 글이다. 생각지도 않게 우리말에 대한 글도 썼으니 나는 작가이기는 한데 베스트셀러를 쓰고 성공한 것은 아니다. 그렇지만 글을 쓰는 동안은 행복하고, 주위 사람에게 글을 쓴다고 말하는 순간에는 즐겁다. 단지 그뿐이다.

그래도 글을 쓰는 것은 내가 살아오는 동안 잘한 일이 아닐까 싶다. 영어가 아니라 한국어로 쓰는 것도 그렇다. (끝)